Ute Adler · Martin Müller Schmied

Schülerheft
Streicherklasse
Violine

Aus dem Inhalt

HELBLING

Innsbruck · Esslingen · Belp

Der Umgang mit der Violine

- Dein Instrument ist sehr kunstvoll gebaut und benötigt einen behutsamen Umgang, damit es sein schönes Aussehen und einen guten Klang behält.

- Dein Instrument ist aus Holz und reagiert auf Temperatur und Luftfeuchtigkeit. Die Saiten können sich verstimmen, das Holz kann sogar Risse bekommen. Stelle dein Instrument also nicht neben eine Heizung und, wenn es kalt ist, nicht an ein offenes Fenster. Ungünstig ist auch ein Wechsel von einem kalten in ein beheiztes Zimmer und umgekehrt. Lass dein Instrument nicht über längere Zeit im Auto liegen.

- Dein Instrument sollte immer an einem sicheren Ort abgelegt sein. Am besten ist es, wenn du es im Etui aufbewahrst. Schließe das Etui vor dem Transport und denke auch an den Reißverschluss.

- Pass gut auf, dass sich dein Instrument nur in den Händen von Personen befindet, die behutsam damit umgehen können. Gib also acht, wenn z.B. jüngere Geschwister oder Haustiere in der Nähe sind.

- Der Instrumentenlack und das Holz sind empfindlich: dein Instrument darf also nicht nass werden. Wische es mit einem weichen und trockenen Tuch ab (z.B. Microfasertuch). Vermeide offene Getränke oder deine Trinkflasche in der Nähe des Instruments.

- Spiele dein Instrument nur mit sauberen, am besten frisch gewaschenen Händen.

Der Umgang mit dem Bogen

- Sei vorsichtig, wenn du den Bogen aus dem Etui herausnimmst. Leicht bleiben die Bogenhaare an der Halterung für den Bogen hängen und reißen ab.

- Spanne den Bogen vor dem Spielen. Tipp: Der Abstand zwischen Bogenhaaren und Bogenstange beträgt in der Mitte des Bogens etwas mehr als die Dicke der Bogenstange.

- Berühre die Bogenhaare nicht mit den Fingern. Schweiß und Schmutz machen den Bogen unbenutzbar.

- Nach dem Spielen spannst du den Bogen wieder so ab, dass die Haare locker sind (ohne herabzuhängen). Bei kürzeren Spielpausen darfst du den Bogen gespannt lassen.

Die Stütze

- Entferne die Stütze, bevor du dein Instrument einpackst.

- Verstaue sie im Etui im Extrafach oder schräg unter dem Instrumentenhals.

- Kontrolliere gelegentlich, ob alle Teile der Stütze (Schrauben, Muttern …) noch festgezogen sind und der Gummi an den Stützenfüßen unversehrt ist.

Das Kolofonium

- Reibe gelegentlich die Haare des gespannten Bogens mit dem Kolofonium ein. Streiche dabei gleichmäßig und kräftig auf dem Kolofonium hin und her. Nun kannst du die Saiten mit dem Bogen zum Schwingen bringen.

- Übrigens: Das Kolofonium wird aus dem Harz eines Baumes gewonnen. Bewahre das Kolofonium in einem Fach des Etuis auf und setze es nicht der Hitze aus. Es zerbricht sehr leicht und kann dann nicht mehr benutzt werden. Lege es deshalb besser nicht auf dem Notenpult ab.

> Wenn du bemerkst, dass an deinem Instrument oder dem Zubehör etwas nicht in Ordnung ist, dann teile das gleich deinem Lehrer mit. Oft ist nur eine kleine Reparatur nötig, die sie oder er (bitte nicht du selbst oder deine Eltern) ausführen kann.

Das Instrument und der Bogen

▶ Beschrifte die verschiedenen Teile der Violine. Wähle dazu die korrekten Begriffe aus.

▶ Beschrifte auch die verschiedenen Teile des Bogens.

Decke	Kinnhalter	Steg
F-Löcher	Saiten	Wirbel
Feinstimmer	Saitenhalter	Wirbelkasten
Griffbrett	Sattel	Zarge
Hals	Schnecke	

Frosch
Haare
Schraube
Spitze
Stange

Boden
(auf der Rückseite)

Das richtige Üben

▶ Lies diese Seite gemeinsam mit deinen Eltern durch.

Warum?

■ **Die Muskeln brauchen Training.** Nicht alle Bewegungen, die du beim Instrumentalspiel machst, kommen im täglichen Leben vor. Deswegen brauchen manche Muskelgruppen Extratraining.

■ **Das Gehirn braucht Training.** Durch Wiederholung werden Tonfolgen, Bewegungsabläufe usw. automatisiert.

■ **Manchmal muss man Falsches durch Richtiges ersetzen.**
Durch Gewöhnung an das Richtige kannst du Fehler dauerhaft abstellen.

Wie?

■ **Spiele das Stück zuerst durch. Wiederhole die Stolperstellen nicht sofort, sondern merke sie dir.**
An diesen Stellen fällt dir irgendetwas schwer. Vielleicht kannst du dir die Abfolge der Töne oder der Finger nicht gut merken, hast den Abstand der Finger noch nicht gut genug im Gefühl oder Schwierigkeiten, eine bestimmte Spielbewegung richtig auszuführen.

■ **Greife die Stolperstellen heraus und übe sie einzeln.** Oft sind es nur zwei Töne, die sich schwer miteinander verbinden lassen, manchmal auch mehrere. Spiele vom Ton vor dem Stolpern bis zum Ton danach und wiederhole die Stelle einige Male.

■ **Spiele die Stelle wieder im Zusammenhang mit dem Rest des Stückes.**
Wenn du nicht mehr stolperst, beginne einige Töne vor der geübten Stelle und spiele danach noch einige Töne weiter. Spiele dann wieder das ganze Stück.

■ **Wenn es keine Stolperstellen gibt, verbessere die Qualität deines Spiels.**
Spiele das Stück mehrmals durch und achte dabei jedes Mal auf etwas anderes: Haltung, Bogengriff, Bogenführung, Sauberkeit der Töne, Rhythmus, Lautstärke, einheitliches Tempo, guter Klang. Suche dir davon etwas aus. Richte dich dabei auch danach, wie viel Zeit du hast.

■ **Steigere das Tempo deines Spiels.** Beginne langsam, achte dabei auf ein gleichmäßiges Tempo. Wenn alles richtig ist, beginnst du dann etwas schneller.

Was?

■ **Spiele zu Beginn ein Stück, das du schon gut kannst.**
Dabei können sich die Muskeln aufwärmen und du kannst dich innerlich auf das Üben einstellen.

■ **Übe dann die Stücke, an denen ihr gerade im Unterricht arbeitet. Beginne am besten mit dem schwersten oder dem neuesten Stück.** Am Anfang deiner Übezeit kannst du dich meistens besser konzentrieren als am Ende. Was am meisten geübt werden muss, sollte deswegen am Anfang stehen.

Wie viel?

■ **Spiele dein Instrument möglichst jeden Tag. An mehreren aufeinanderfolgenden Tagen nicht zu üben, ist ungünstig.** Bei regelmäßigem Üben gewöhnst du dich an die erlernten Bewegungsabläufe. Dein Gedächtnis behält dann die neu gelernten Stücke, Fingerfolgen und Spieltechniken besser.

■ **Am Anfang genügen 15–20 Minuten.** Kürzer sollte die Übezeit nicht sein, denn dann würden die Muskeln gar nicht erst richtig warm werden und du hättest keinen Trainingseffekt.

■ **Wenn du dich auf einen Auftritt vorbereitest, brauchst du etwas mehr Zeit.** Sicher wirst du die Stücke vor dem Konzert schon gut können und öfter durchspielen, um die Qualität zu verbessern.

■ **Wenn die Stücke länger und schwerer werden, brauchst du auch etwas mehr Zeit zum Üben. Plane dann 20–30 Minuten täglich ein.** Deine Übezeit kann auch an manchen Tagen kürzer, an anderen dafür länger sein. Das Wichtigste ist die Regelmäßigkeit.

Der Violinschlüssel (G-Schlüssel)

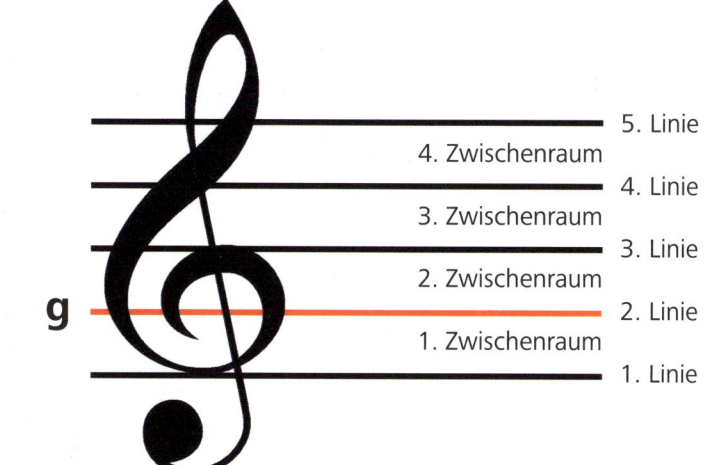

g

5. Linie
4. Zwischenraum
4. Linie
3. Zwischenraum
3. Linie
2. Zwischenraum
2. Linie
1. Zwischenraum
1. Linie

> Die fünf Linien mit ihren Zwischenräumen nennt man **Notenzeile**.

Sattel

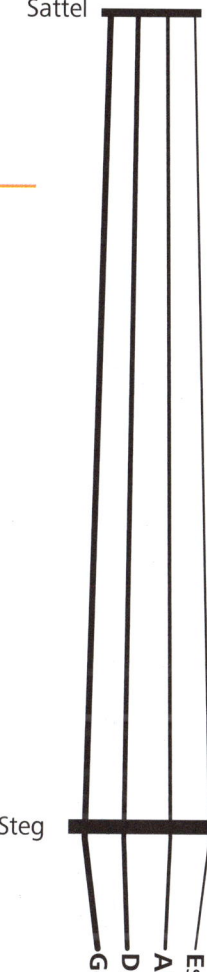

Die leeren Saiten

► Notiere hier den Merksatz zu den Namen der Saiten:

....

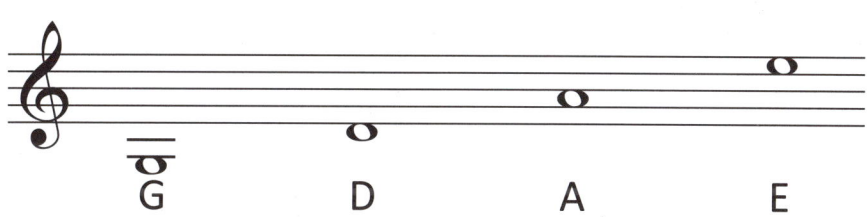

G   D   A   E

> Die Violine ist in **Quinten** gestimmt.
> Das heißt, der Abstand einer Saite zur nächsten beträgt **fünf** Töne.
> Überprüfe das durch Nachzählen. Zähle den Ausgangston immer mit.
> Den Abstand der Töne voneinander nennt man auch **Intervall**.

Steg

Geh
Du
Alter
Esel

Das Stimmen des Instruments

01
bis

04

> Durch Schwankungen von Temperatur und Luftfeuchtigkeit und beim Spielen kann sich dein Instrument verstimmen. Die Saiten müssen dann mit den Feinstimmern oder an den Wirbeln gestimmt werden. In der Schule wird das dein Lehrer übernehmen.
> Zu Hause könnte ein Klavier, ein elektronisches Stimmgerät oder eine App als Hilfsmittel dienen. Außerdem findest du die Stimmtöne auf der Webseite mit allen Hörbeispielen zu diesem Heft.
>
> **Beachte:** Drehst du den Feinstimmer im Uhrzeigersinn, dann wird die Saite straffer, der Ton demnach höher. Entgegengesetzt gedreht wird der Ton tiefer.

Die Haltung des Instruments

1 Bringe deine Stütze am Instrument an. Wenn sie dich anlächelt, hältst du sie richtig herum.

2 Nimm das Instrument in die Ruhehaltung. Stehe oder sitze dabei so, dass dein Körper locker und im Gleichgewicht ist.

3 Suche mit dem rechten Daumen den Saitenhalterknopf.

Bewege dein Instrument nach links vorne. **4**

Lass die Violine dann von oben auf der linken Schulter landen. **5**

Jetzt kannst du dein Kinn locker auf den Kinnhalter legen. Die Violine ist jetzt in Spielhaltung. **6**

Die Bogenhaltung

Halte den Bogen mit der linken Hand an der Bogenstange, sodass der Frosch nach rechts zeigt. Achte darauf, dass du dabei nicht die Bogenhaare berührst.

7

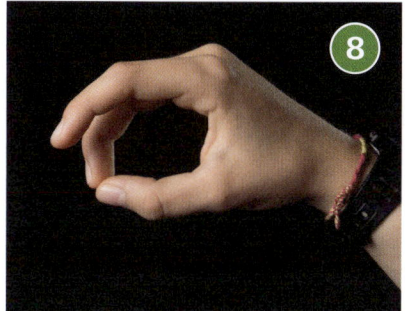

8

9

10

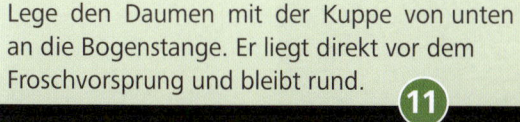

Bilde einen Ring aus Daumen und Mittelfinger (Abb. 8),
rutsche mit dem Daumennagel ins Fingergelenk und halte den Ringfinger neben den Mittelfinger (Abb. 9).
Forme dann die Hand zum Häschen, indem du den Zeigefinger und den kleinen Finger etwas hebst (Abb. 10).

Lege den Daumen mit der Kuppe von unten an die Bogenstange. Er liegt direkt vor dem Froschvorsprung und bleibt rund.

11

Bewege Mittelfinger und Ringfinger von der Bogenstange aus nach unten in die hier gezeigte Position.

12

Tippe mit der Kuppe des kleinen Fingers einige Male von oben auf die Bogenstange und lass den Finger dort stehen. Alle Finger bleiben rund.

13

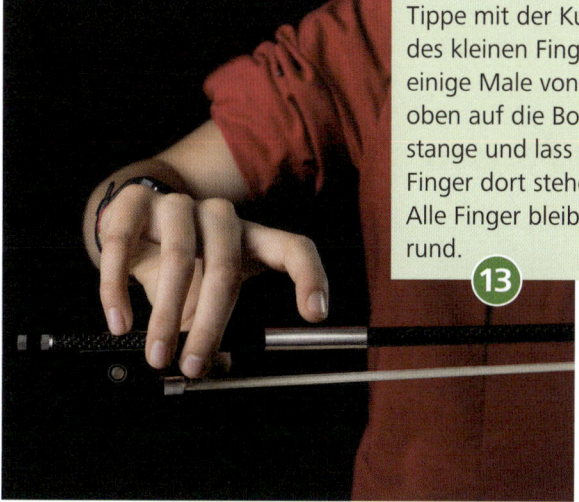

Lege den Zeigefinger auf die Bogenstange, indem du den Unterarm und die Hand leicht drehst.

14

Die ersten Zeichen der Notenschrift

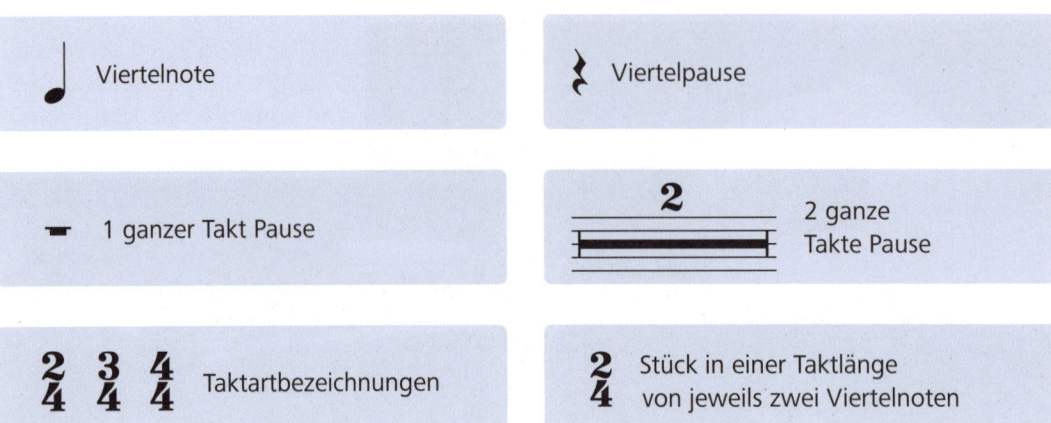

♩   Viertelnote

𝄽   Viertelpause

▬   1 ganzer Takt Pause

2   2 ganze Takte Pause

$\frac{2}{4}$ $\frac{3}{4}$ $\frac{4}{4}$ Taktartbezeichnungen

$\frac{2}{4}$ Stück in einer Taktlänge von jeweils zwei Viertelnoten

Pizzicato

Ruhehaltung

1   Das Zupfen der Saiten nennt man **Pizzicato** (Abkürzung: pizz.).

Spielhaltung

2   Auf den Bildern ist die Stelle zu erkennen, an der die Saite gezupft werden soll. Lege den Daumen der rechten Hand an der Seite des Griffbretts an. Achte auf einen guten Klang.

▶ Zupfe die vier folgenden Stücke …

 05

Anfang auf A

06

Auf D mit Pausen

07 Im Walzertakt auf G

08 CE-Rock

Die Einteilung des Bogens

Zweidrittelpunkt   Eindrittelpunkt

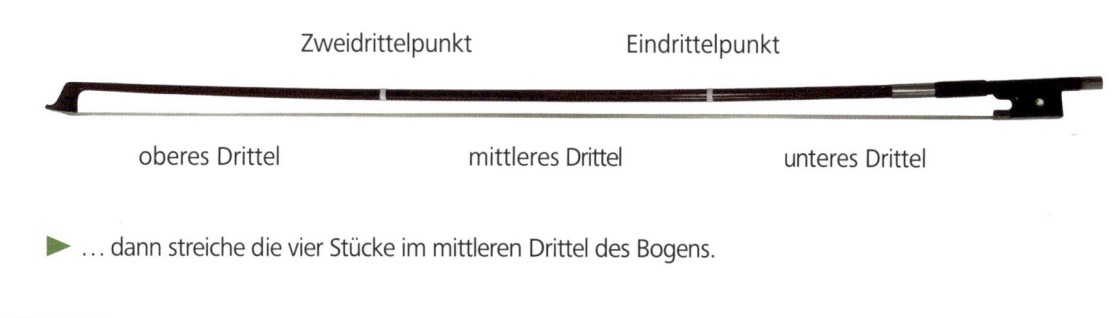

oberes Drittel   mittleres Drittel   unteres Drittel

▶ … dann streiche die vier Stücke im mittleren Drittel des Bogens.

09 Rock Your Strings

Musik: Ute Adler
© Helbling

Klopfen auf dem Korpus

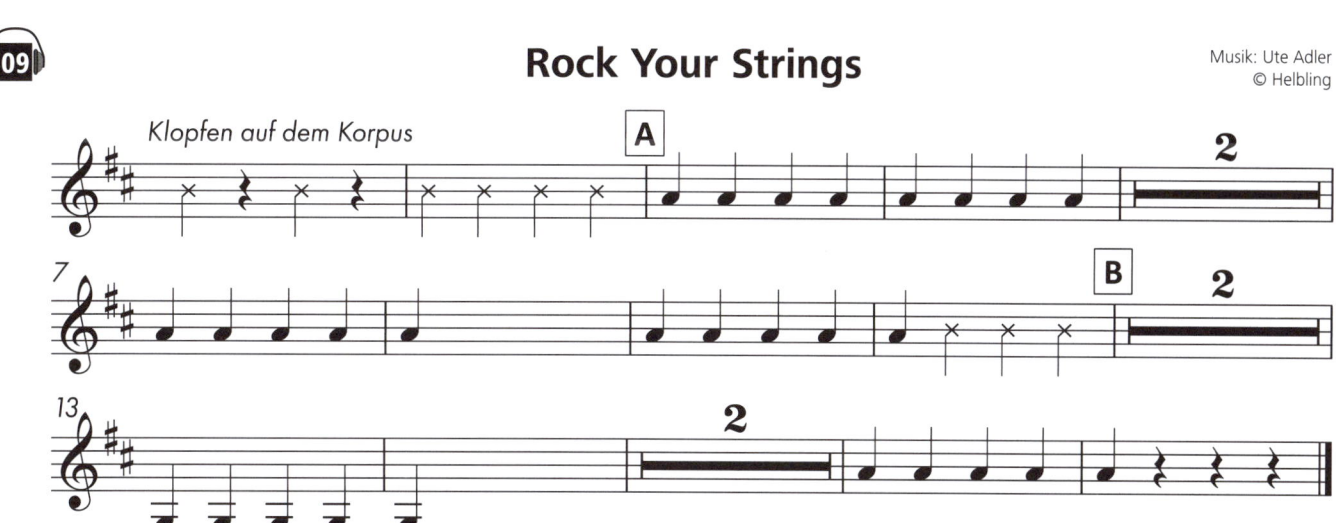

▶ Schreibe hinter die beiden Vorzeichen der Zeile 1 von *Rock Your Strings* die richtige Taktart.
Ergänze die Takte 8 und 14 mit Viertelnoten auf der gleichen Tonhöhe.

Harfenpizzicato (mit der linken Hand)

(1)

Ruhehaltung: Lege den kleinen Finger in der tiefen Position auf die G-Saite. Ziehe den linken Ellenbogen nach hinten und bewege den kleinen Finger dadurch über alle Saiten, sodass sie nacheinander gezupft werden (Abb. 1). Weil auf diese Weise ein harfen-ähnlicher Klang entsteht, nennt man diese Spielweise **Harfenpizzicato.**

Spielhaltung: Nimm das Instrument nun in Spiel-haltung und lass den Ellenbogen beim Harfenpizzicato hin und her pendeln. Verschiebe die linke Hand so weit, dass der Daumen etwa unter dem zweiten Griffbrettpunkt liegt (mittlere Position) und führe das Harfenpizzicato auch hier aus. Probiere dasselbe auch in der hohen Position. Dazu verschiebst du die Hand noch weiter, bis der Daumen in der Halsbiegung liegt.

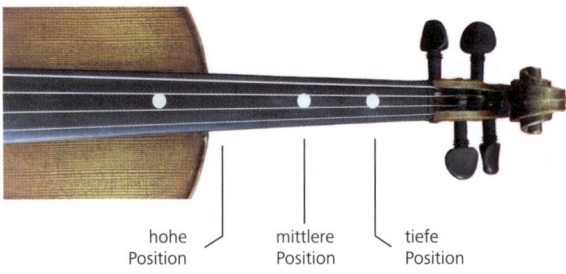

hohe Position | mittlere Position | tiefe Position

Große Glocken (mit der rechten Hand)

Spielhaltung: Zupfe nun mit Zeige- und Mittelfinger der rechten Hand. Ziehe die Finger über alle Saiten und erzeuge so einen vollen, glockenähnlichen Klang („Große Glocken"). Ohne die Bewe-gung abzubremsen, fliegt die Hand anschließend mit einer kreisförmigen Bewegung zurück zu den Saiten. Halte die Hand dabei so, dass du deinen Handrücken siehst.

Herbst

Text: Theodor Storm
Musik: © Hans Georg Mareck

1. Schon ins Land der Py - ra - mi - den flohn die Stör - che ü - bers Meer.

Schwal - ben - flug ist längst ge - schie - den, auch die Ler - che singt nicht mehr.

▶ Begleite das Lied *Herbst* mit dem Harfenpizzicato:

- in der tiefen Position
- abwechselnd zwischen der tiefen und der mittleren Position
- abwechselnd zwischen der mittleren und der hohen Position
- abwechselnd zwischen der tiefen, der mittleren und der hohen Position
- abwechselnd zwischen der tiefen und der hohen Position

▶ Begleite das Lied nun auch mit den Großen Glocken.

Start- und Landeübungen

Setze den Bogen an verschiedenen Bogenstellen auf der D-Saite auf: Eindrittelpunkt (Abb. 2), Zweidrittelpunkt (Abb. 3), Spitze (Abb. 4). Lege den Weg zwischen den Punkten mit dem Bogen durch die Luft zurück.

Beachte: Beim Start, während des Fluges und bei der Landung wird der Bogen waagerecht gehalten und bildet mit der Saite einen rechten Winkel. Stelle dir die Flugbahn genau vor. Lande immer geräuschlos. Lockere nach jeder Landung den Bogengriff, indem du die Finger mit dem Bogenfrosch leicht bewegst. Überzeuge dich vor jedem Start davon, dass dein Bogengriff korrekt ist.

Fliegendes Pizzicato und Zurückgeholter Strich

Lege den Zeigefinger an die D-Saite und spiele Pizzicato.
Führe beim Zupfen dieselbe Armbewegung aus wie bei den Großen Glocken (S. 10).
Diese Spielweise nennt man **Fliegendes Pizzicato.** Zupfe auch die anderen Saiten auf diese Weise.

Spiele nun auch mit dem Bogen. Der Arm soll sich genauso bewegen wie beim Fliegenden Pizzicato. Achte darauf, dass du den Bogen rechtzeitig von der Saite abhebst und ihn vor dem Streichen des nächsten Tones auf der richtigen Saite aufsetzt. Du spielst jetzt mit dem **Zurückgeholten Strich.**

Flugzeugstück

Musik: Hugo Schlemüller

▶ Spiele das *Flugzeugstück* mit Fliegendem Pizzicato und auch mit Zurückgeholtem Strich.

Bruder Jakob – Leersaitenbegleitung

► Zupfe diese Begleitung zum Lied *Bruder Jakob*.

Notenwerte und Pausen

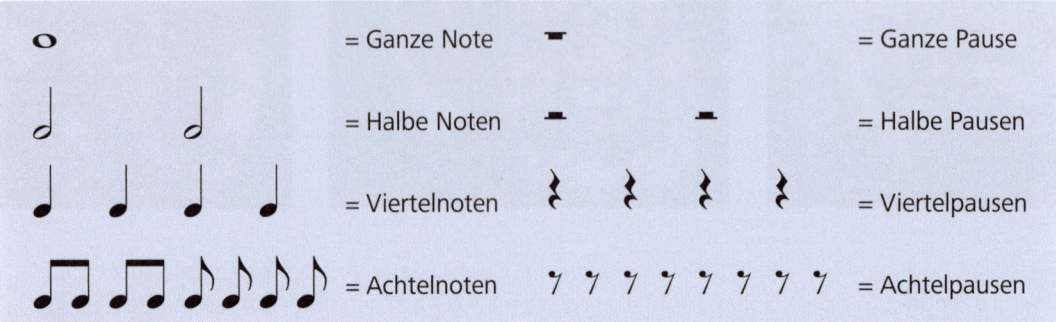

o	= Ganze Note	▬	= Ganze Pause
♩ ♩	= Halbe Noten	▬ ▬	= Halbe Pausen
♩ ♩ ♩ ♩	= Viertelnoten	𝄽 𝄽 𝄽 𝄽	= Viertelpausen
♫ ♫ ♪ ♪ ♪ ♪	= Achtelnoten	𝄾 𝄾 𝄾 𝄾 𝄾 𝄾 𝄾 𝄾	= Achtelpausen

Eselsbrücke zur Unterscheidung von Halben und Ganzen Pausen: Stelle dir ein Faultier vor. Wenn es lange schläft (Ganze Pause), dann hängt es am Ast. Wenn es nur innehält (Halbe Pause), dann sitzt es auf dem Ast und ist bereit, gleich weiter zu klettern.

Tipp: Beispiele für die Anwendung der Notenwerte findest du in den *Rhythmischen Spielereien* (S. 13).

Magisches Quadrat

Übertrage die Symbole dieses *Magischen Quadrats* in Musik. Eine Reihe könnte dabei einen Takt darstellen. Wenn du die vier Reihen nacheinander musiziert hast, kannst du das auch einmal von oben nach unten (in Spalten) tun. Gibt es weitere Möglichkeiten?

► Klatsche die grünen Punkte, pausiere bei den roten.

► Sprich auf Rhythmussilben. Die roten Punkte könnten dabei jeweils zwei Achtelnoten sein, die grünen Viertel.

► Zupfe oder streiche nun auf einer Saite.

► Zupfe nun auch auf zwei verschiedenen Saiten, z.B. Grün auf D und Rot auf G.

► Hast du noch andere Spielideen?

© Fidula-Verlag Holzmeister GmbH, Koblenz

Einsaitig, aber rhythmisch

► Spiele die Zeile zu Ende. Hast du eine gute Fortsetzung gefunden, notiere sie.

► Erfinde einen Rhythmus mit Vierteln, Achteln und Pausen auf einer Saite. Schreibe ihn auf.

Rhythmische Spielereien

Die Bogenmenge (Länge des Bogenstrichs) ist abhängig von der Länge des Tones / der Note.
Achtel bekommen halb so viel Bogen wie Viertel.

a) Sprich den Rhythmus mit Rhythmussilben, spiele ihn dann. Übe auch taktweise (erst sprechen, dann spielen).

b) Zupfe den Rhythmus auf der vom Lehrer festgelegten Saite oder suche dir selbst eine aus.

c) Zupfe auf zwei benachbarten Saiten (z. B. D und A), indem du zu Beginn eines jeden Taktes wechselst.

d) Zupfe einen Takt laut, den nächsten leise. Überlege auch andere Varianten.

e) Wenn du einen Partner zum Üben hast, dann spiele ihm einen Rhythmus vor und lasse ihn erkennen, welchen du gespielt hast. Tauscht dann die Rollen.

f) Spielt (zu zweit) verschiedene Rhythmen gleichzeitig auf unterschiedlichen Saiten. Haltet das Tempo.

g) Spielt die Takte als Echo (Spieler 1 einen Takt laut, Spieler 2 denselben Takt leise usw.). Achtet darauf, dass zwischen den Takten keine Pausen entstehen und der Grundschlag gleichmäßig weiterläuft.

h) Spielt auch im Kanon (Spieler 2 fängt mit dem Rhythmus einen Takt später an).

i) Überlege dir weitere Spielmöglichkeiten.

Abstrich und Aufstrich

Manchmal wird in den Noten vorgegeben, in welche Richtung sich der Bogen bewegen soll. Die Strichrichtung wird mit **Abstrich** oder **Aufstrich** bezeichnet. Wenn sich deine Bogenhand vom Instrument weg bewegt, führst du einen Abstrich aus. Bewegt sie sich auf das Instrument zu, spielst du einen Aufstrich.

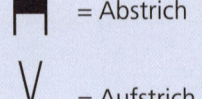 = Abstrich

= Aufstrich

Der Auftakt

Das nächste Stück ist im Dreivierteltakt notiert. Im ersten Takt steht aber nur eine Viertel. Dieser Anfang stellt keinen vollständigen Takt dar, man nennt ihn **Auftakt**. Der letzte Takt des Stücks enthält in diesem Fall nur zwei Viertel. Der Auftakt und der letzte Takt ergeben zusammen einen vollständigen Takt.

Das Orchester

Text u. Musik: Willy Geisler
© Voggenreiter Verlag, Bonn

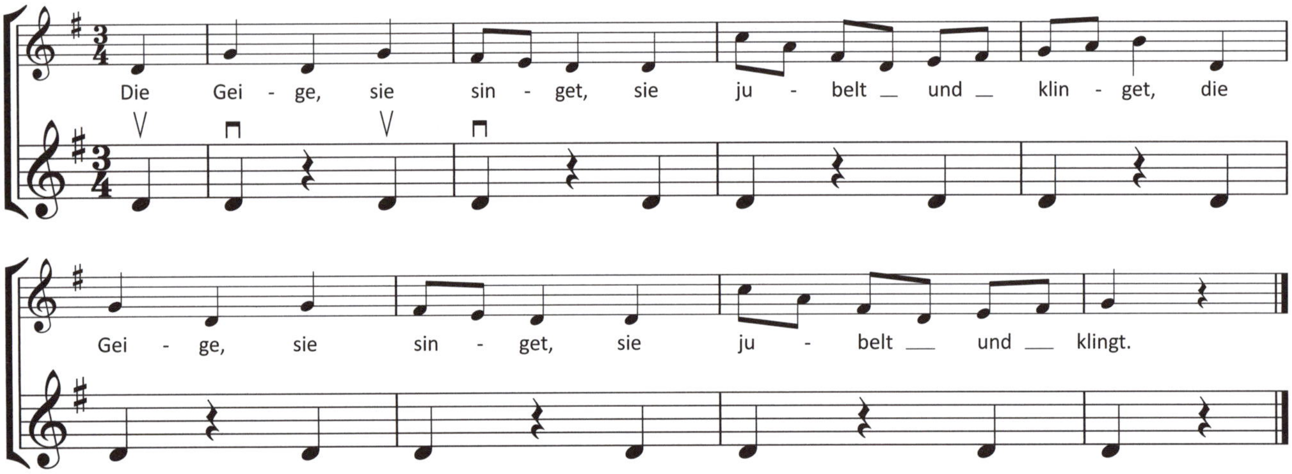

Die Gei - ge, sie sin - get, sie ju - belt _ und _ klin - get, die

Gei - ge, sie sin - get, sie ju - belt _ und _ klingt.

Jig

Musik: Stanley Fletcher
© Mit freundlicher Genehmigung des Musikverlages
Boosey & Hawkes Bote & Bock GmbH, Berlin

A

fine

B

da capo al fine

da capo al fine (Abkürzung D. C. al fine)**:** Wie viele Begriffe der Musik kommt auch dieser aus der italienischen Sprache. Es bedeutet „noch einmal bis Schluss". Das Stück wird demnach noch einmal von Anfang an bis **fine** (italienisch: Schluss) gespielt, Teil A wird dann nicht mehr wiederholt.

Streicherklassen-Rap

Text u. Musik: Martin Müller Schmied
© Helbling

A Wie - der ein - mal schlägt die Stun - de

und es klingt Mu - sik in gro - ßer Run - de.

Strei - cher sind wir aus der fünf - ten Klas - se.

Was wir spiel'n, hebt sich ab von der Mas - se.

B Hö - ren wir uns nun die tie - fen Strei - cher an,

und im An-schluss dann sind die ho - hen dran.

Bäs - se, Cel - li, Brat - schen, Gei - gen,

al - le ge - mein - sam kön - nen sich zei - gen.

C Ob ein So - lo klingt? Wem es wohl ge - lingt?

Ers - ter ist ein Cel - list: *(Solo ausführen)*

Und nun folgt ein Brat - schist: *(Solo ausführen)*

Gei - ger hin - ter - her: *(Solo ausführen)*

Kon - tra - bass, bit - te sehr: *(Solo ausführen)*

D Nun die letz - ten Zei - len vom Strei - cher-klas - sen-Rap. *(stampfen)*

Und hat's euch ge - fal - len, so schickt uns ei - nen Clap. *(stampfen)*

Bogenjogging im mittleren Bogendrittel

Nutze die Pausen, um den rechten Arm auf die neue Saitenebene einzustellen.
Spiele im mittleren Bogendrittel (Abb. 1). Beginne jede Übung auch mit der höheren Saite (Abb. 2).

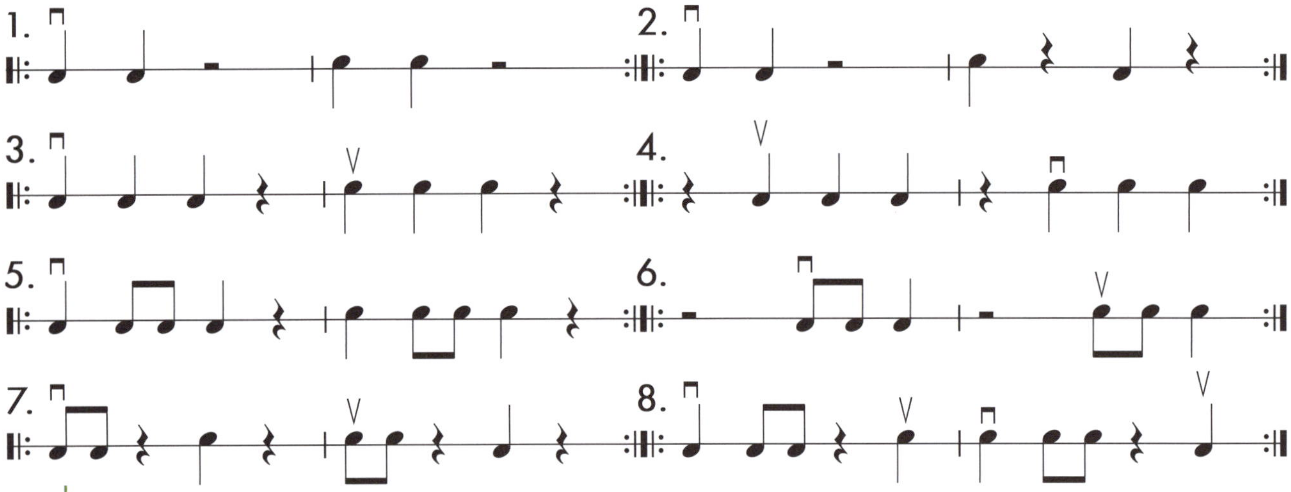

1.

2.

3.

4.

5.

6.

7.

8.

▶ Bereite den Arm vor jedem Saitenübergang auf die neue Saitenebene vor.

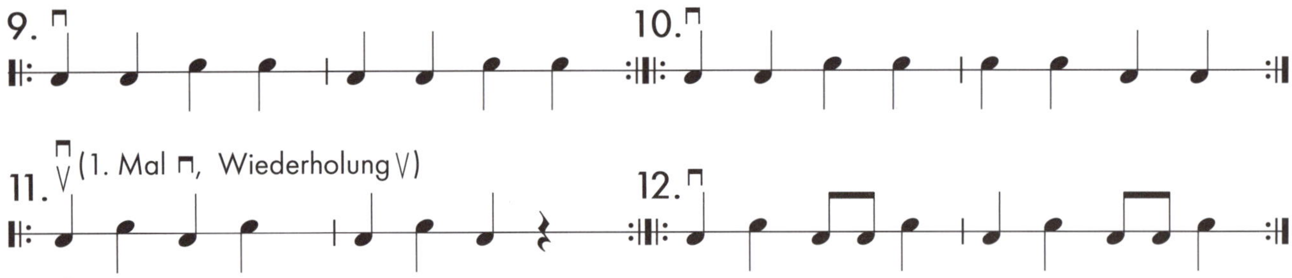

9.

10.

11. (1. Mal ⊓, Wiederholung ∨)

12.

Nimm zwei (Saiten)

▶ Erfinde ein Stück auf zwei benachbarten leeren Saiten. Verwende diesen Rhythmus:

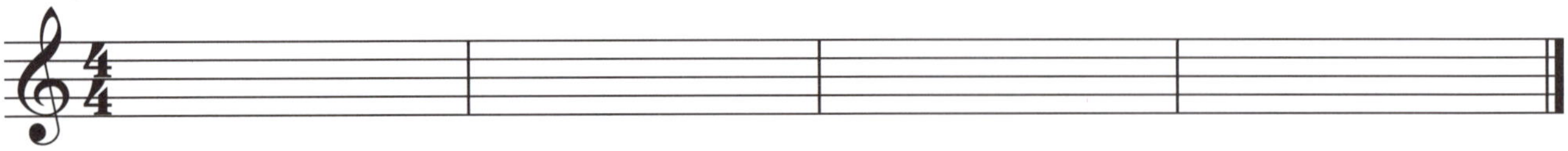

Tipps: • Schreibe das Zeichen für die Viertelpause wie ein schmales hohes *Z* und hänge dann ein kleines *c* daran.
• Bei Noten ab Linie 3 und aufwärts schreibst du die Notenhälse links von den Notenköpfen
und nach unten gerichtet.

Die Partitur

Eine **Partitur** enthält die Stimmen für alle Instrumente, in diesem Fall für die vier Streicher-klassen-Stimmen von *Träumerei auf allen Saiten*. Sie sind vom höchsten bis zum tiefsten Instrument geordnet. Die zusammengehörigen Notenzeilen sind zu einem **System** zusammengefasst. Die Partitur von *Träumerei auf allen Saiten* hat drei Systeme.

Träumerei auf allen Saiten

Musik: Ute Adler
© Helbling

► Beschrifte das erste System, indem du die Instrumentennamen vor die Notenzeilen schreibst.
► Kennzeichne deine Stimme mit einem Marker farbig.
► Bestimme die Namen der Töne deiner Stimme.
► Spiele aus dieser Partitur. Verfolge die anderen Stimmen mit, vor allem dann, wenn du Pause hast.

Bruder Jakob – Leersaitenbegleitung in Variationen

► Wähle eine Begleitvariation aus und spiele diesen Takt 8x zum Lied.

► Spiele so nach und nach alle Begleitungen zum Lied.

► Spiele später auch die Melodie des Stückes (S. 46).

Streichen in zwei Bogendritteln

Wiederhole die Start- und Landeübungen von Seite 11.

Beginne nun im mittleren Bogendrittel zu streichen. Nimm für die Abstriche immer etwas mehr Bogen als für die Aufstriche, sodass sich die Bogenstelle allmählich in Richtung Spitze verlagert.

Wenn du an der Spitze angekommen bist, bewege dich wieder ins mittlere Drittel zurück, indem du für die Aufstriche mehr Bogen nimmst.

► Streiche zwischen Eindrittelpunkt und Spitze.

Auf allen vieren

► Erfinde ein Stück über alle vier Saiten, in dem nur Viertelnoten und Viertelpausen vorkommen.

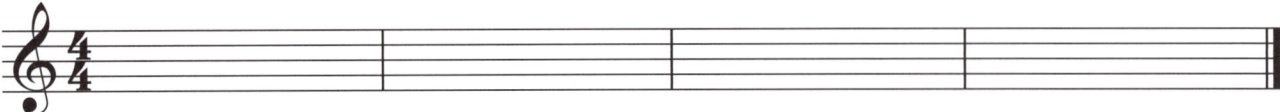

Einzelnes Achtel und Synkope

Oft kommen Achtelnoten als doppelte Noten vor und werden mit einem **Balken** verbunden:

Manchmal stehen sie aber auch als **einzelne Achtel.** Dann wird die Note mit einem **Fähnchen** geschrieben:

Die Achtelpause sieht so aus:

In der **Synkope** (siehe Variation 3 von *Hoe Down*) kommen zwei einzelne Achtel vor:

Bei der Synkope verschiebt sich die Betonung auf eine sonst unbetonte Note. Die Synkope lässt sich so herleiten:

a)   b)   c)

Auf S. 70 findest du zwei weitere Stücke mit Synkopen.

Musik: Stanley Fletcher
© Diese Bearbeitung mit freundlicher Genehmigung des Musikverlages Boosey & Hawkes Bote & Bock GmbH, Berlin

Hoe Down

Bogenjogging in allen Bogendritteln

Wiederhole die Start- und Landeübungen von Seite 11. Lande nun auch am Frosch.

Beginne im mittleren Bogendrittel zu streichen. Wandere in das untere Drittel (zwischen Frosch und Eindrittelpunkt) und zurück, indem du für die Striche in die jeweilige Strichrichtung immer etwas mehr Bogen nimmst.

Streiche nun Ganze Noten (vier Schläge lang) mit dem ganzen Bogen.
Spiele mit entspannter Schulter und beachte, dass an der Spitze der Arm fast gestreckt ist.

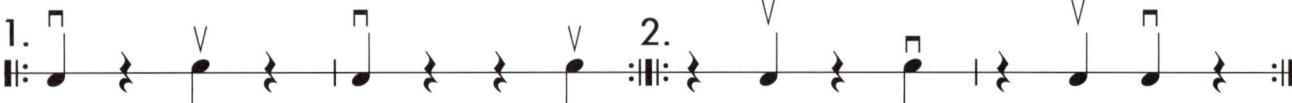

Nutze die Pausen, um den rechten Arm auf die neue Saitenebene einzustellen.
Spiele anfangs im mittleren Bogendrittel, später auch an anderen Bogenstellen.
Beginne jede Übung auch mit der höheren Saite.

> Auftaktnoten werden immer unbetont (leicht) gespielt. Die Betonung (Schwerpunkt) liegt auf dem ersten Schlag nach dem Taktstrich. Liegt der erste Ton eines Stückes auf dem ersten Schlag eines vollständigen Taktes, beginnt das Stück mit einem **Volltakt**.

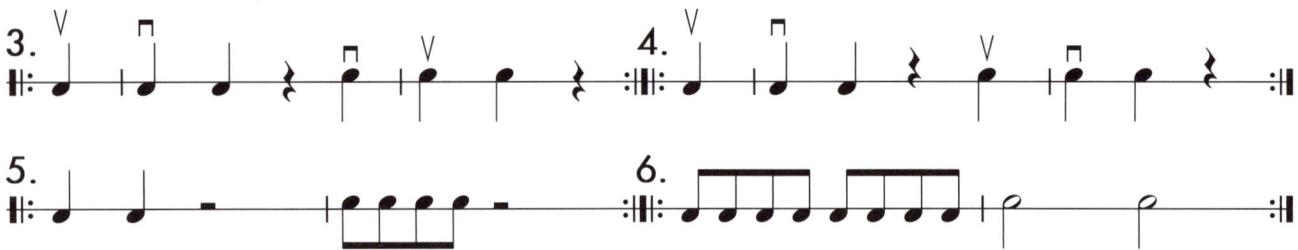

▶ Probiere aus, mit welcher Strichrichtung (Abstrich / Aufstrich) die Betonung besser zu spielen ist.

Dynamik

> Musik wird lebendiger, wenn sie mit unterschiedlicher **Dynamik** (Lautstärke) erklingt.
> Man benutzt dafür italienische Bezeichnungen. Im Notentext werden sie abgekürzt.
>
> **_p_** piano – leise   **_mf_** mezzoforte – mittlere Lautstärke   **_f_** forte – laut

Laut und leise spielen

> Einen lauteren Klang erzeugt man durch größere Bogenmenge
> und mehr Armgewicht beim Streichen.

Song for Open Strings

Musik: Ute Adler
© Helbling

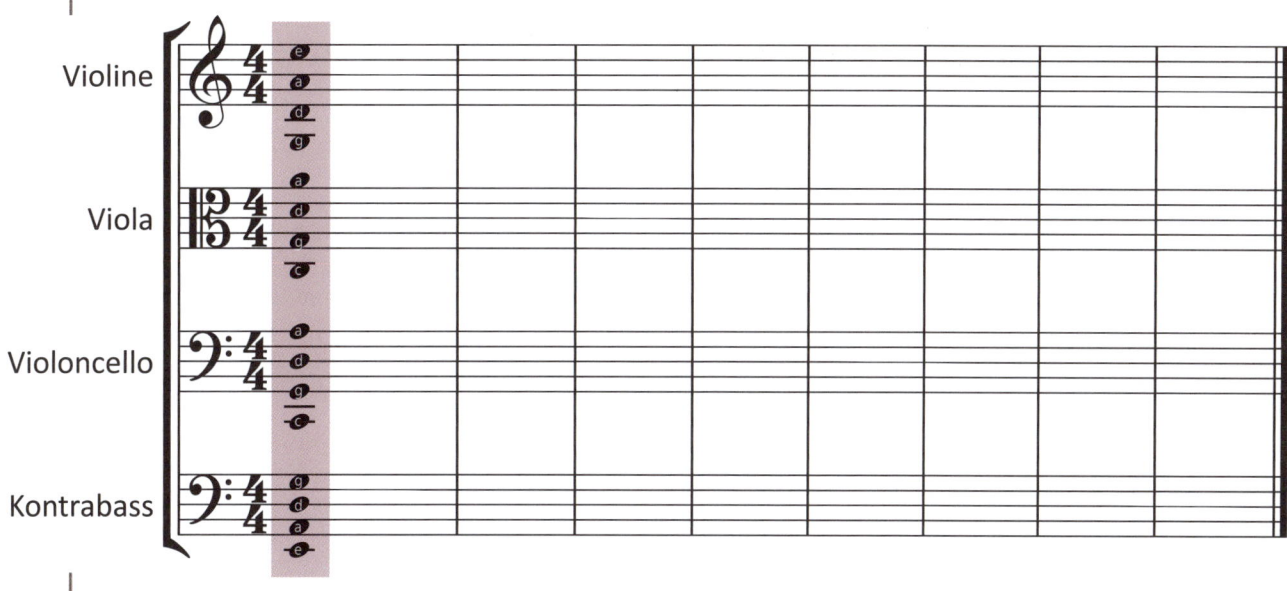

Ein Stück für die ganze Klasse

▶ Erfinde ein Stück für die Klasse. Benutze Halbe Noten, Viertelnoten und Pausen.
Verwende nur die Töne der leeren Saiten. Beachte: Violine, Viola und Violoncello
sind in **Quinten** gestimmt, der Kontrabass in **Quarten**.

Das Greifen der Saiten mit der linken Hand

Das Greifen der Saiten mit den Fingern ist eine neue Herausforderung. Gib nicht auf, wenn es nicht gleich gut gelingt. Wenn du dran bleibst und deine Muskulatur und das Gehör trainierst, klingt es bald richtig gut. Dann kannst du viele schöne Stücke musizieren.

Nimm dein Instrument in Ruhehaltung. Forme mit der linken Hand ein V (Abb. 1). Führe die Hand an das Instrument und lege den Ansatz des Zeigefingers an den Hals. Gleite einige Male am Hals entlang und bleibe dann am Sattel stehen (Abb. 2).

Halte die Finger über die Saiten, sodass du sie an den vorgesehen Stellen platzieren kannst. Setze zuerst den 3. Finger (Abb. 7) am zweiten Punkt auf (Abb. 3), den 2. dicht daneben (Abb. 4) und den 1. Finger auf den ersten Punkt (Abb. 5). Lege den Daumen an den Hals gegenüber dem Zeigefinger. Lockere ihn, indem du ihn einige Male am Hals hin und her schiebst.

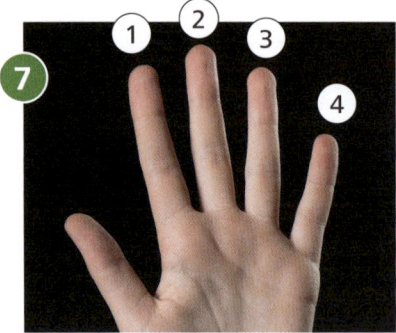

Hier siehst du die aufgesetzte Hand in Spielhaltung (Abb. 6).

Die Stücke dieser Doppelseite beginnen mit dem Oktavton zur leeren D-Saite. Das Intervall **Oktave** entspricht dem Abstand von acht Tönen (wobei man die leere Saite und den gegriffenen Ton jeweils mitzählt). Wird die A-Saite genau am vorgesehenen Punkt auf das Griffbrett gedrückt, entsteht (beim Zupfen oder Streichen) ein Ton, der dem auf der leeren D-Saite sehr ähnlich klingt und genau acht Töne höher ist.

Oben – unten

Text u. Musik: Olaf Adler
© Helbling

O - ben,   un - ten,   ho - hes d,   tie - fes d.

„Höher" und „tiefer"

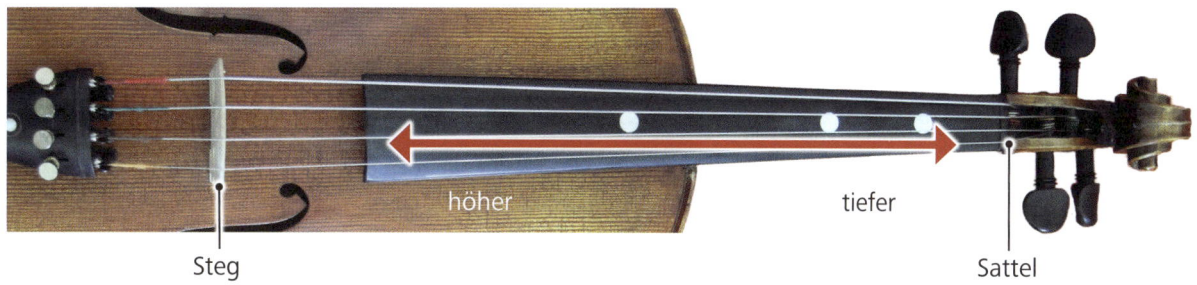

Steg   höher   tiefer   Sattel

„Greifen" bedeutet Herunterdrücken der Saite auf das Griffbrett.
Dadurch verkürzt sich der schwingende Teil der Saite und der Ton wird höher.
Je weiter vom Sattel entfernt gegriffen wird, umso höher wird der Ton.

Greifen in der 1. Lage (erster und zweiter Punkt)

Greifen in einer höheren Lage

▶ Baue (wie auf S. 22 beschrieben) die linke Hand am Instrument auf.
Welcher Finger erzeugt den höchsten, welcher den tiefsten Ton?

Zahlensalat

▶ Verbinde die kleinen Kreise in einer beliebigen Reihenfolge. Jeder Kreis soll einmal von der Linie berührt werden. Nun hast du einen Fingersatz entworfen.

▶ Nimm das Instrument in die Ruhehaltung und setze die Finger in deiner Reihenfolge auf. Bleibe anfangs auf einer Saite und wechsle später auch auf eine andere.

▶ Gelingt das, dann zupfe die Töne beim nächsten Durchlauf und lausche der Melodie, die sich durch deinen Fingersatz ergeben hat.

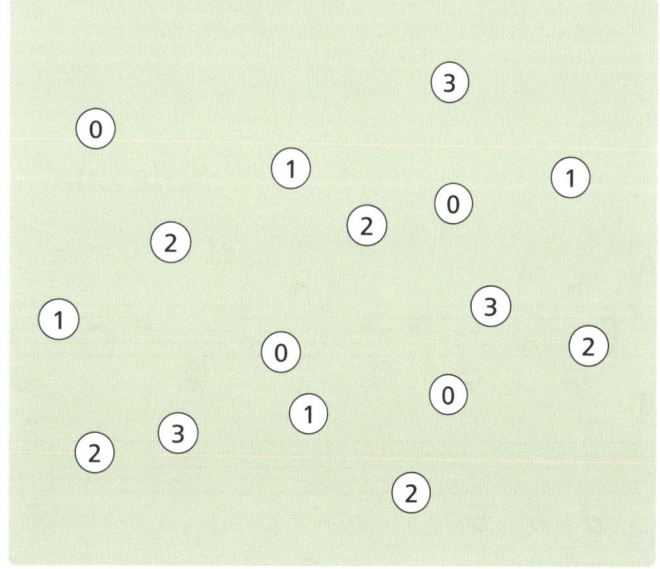

Hoch und tief

Text u. Musik: Olaf Adler
© Helbling

Hoch und tief und hoch und tief, bei mir klingt es gar nicht schief.

Oktavenstücke

▶ Führe die Melodie weiter. Benutze die leere D-Saite und den Oktavton auf der A-Saite.

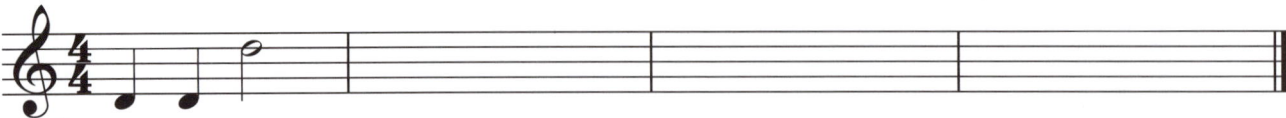

▶ Erfinde ein Oktavenstück. Benutze dazu drei Saiten, Halbe und Viertelnoten und Pausen.

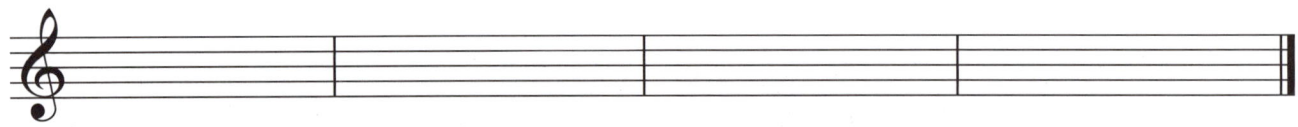

Flageolett

Lege den 3. Finger leicht auf einer Saite auf, ohne dass andere Finger die Saite ebenfalls berühren, und gleite mit dem Finger auf der Saite entlang, ohne Druck auf die Saite auszuüben. Streiche dabei leicht und mit viel Bogen. Du erzeugst so verschiedene Töne, deren Klangfarbe man auch einem Blasinstrument zuordnen könnte. Sie heißen **Flageolett-Töne**. Auf deinem Griffbrett, genau auf halber Länge zwischen Sattel und Steg, befindet sich der Oktav-flageolett-Punkt. Dort kannst du auf jeder Saite den Oktavton zur leeren Saite spielen.

Kalevala

Musik: Katharina Rundfeldt
© Edition Peters

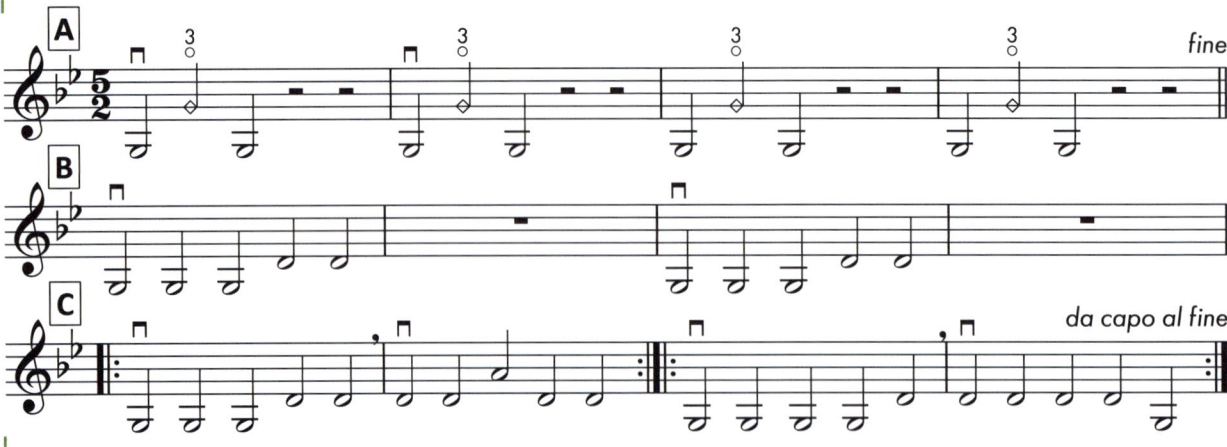

▶ Schau dir die ungewöhnliche Notierung an. Die Noten mit dem eckigen Kopf sollen als Flageolett gespielt werden. In diesem Stück spielst du das Oktavflageolett auf der G-Saite.

pizz. und arco

Das Stück *Am See* wird mit Wiederholung gespielt. Beim ersten Mal soll gezupft werden, bei der Wiederholung gestrichen. Als Spielanweisungen stehen dort **pizz.** für das Pizzicato und **arco** für das Streichen.

Am See

Musik: Ute Adler
© Helbling

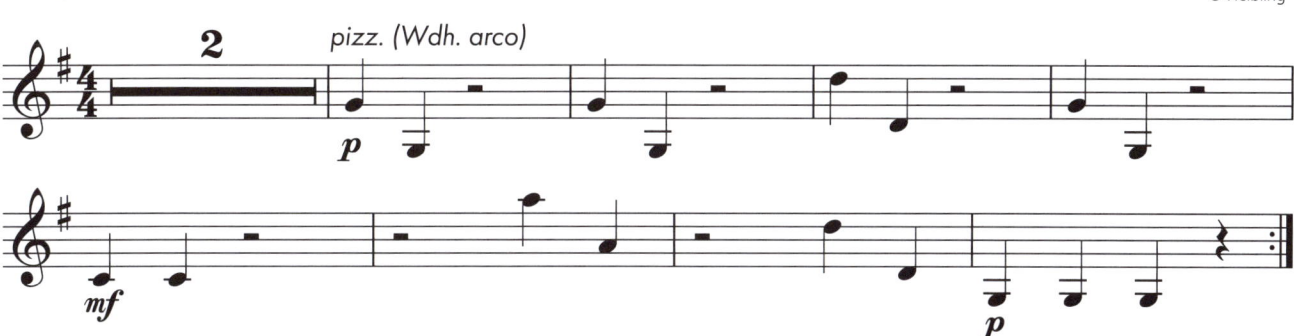

► Auch *Am See* ist ein Stück mit Oktavtönen. Vergleiche die Notation mit der des Stücks *Kalevala* und beachte dabei die Form der Notenköpfe. Wie sollen die Oktavtöne bei *Am See* gespielt werden?

Leere Saiten und Oktavtöne: Alle bisher spielbaren Töne:

Tango Oktave

Musik: Martin Müller Schmied
© Helbling

Das Hofpausenlied

Text u. Musik: Ute Adler
© Helbling

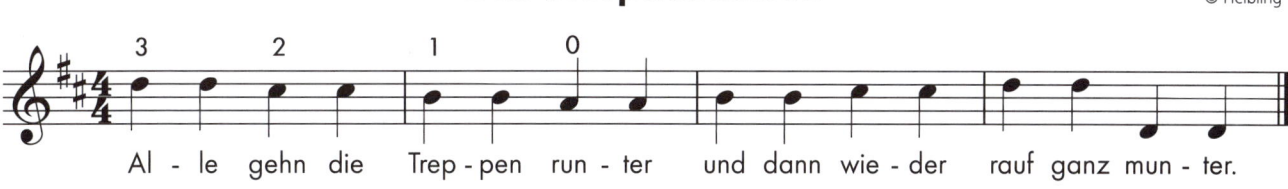

Al - le gehn die Trep - pen run - ter und dann wie - der rauf ganz mun - ter.

Gute Laune

Text u. Musik: Martin Müller Schmied, © Helbling

Fröh - lich sing ich mei - ne Lie - der, es soll doch ge - lin - gen,
dass die Stim - men im - mer wie - der mit - ein - an - der   klin - gen.

Allmähliche Lautstärkeveränderungen

crescendo
(lauter werdend)

decrescendo
(leiser werdend)

Bei diesen **Lautstärkebezeichnungen** wird die Lautstärke allmählich verändert. Man verwendet die Zeichen bei kürzeren Abschnitten der Musik, die Abkürzungen **cresc.** und **decresc.** bei längeren.

Mit links!
(Au clair de la lune)

Musik: nach Jean Baptist Lully
Dt. Text: Martin Müller Schmied
© Helbling

Bogen zurückholen

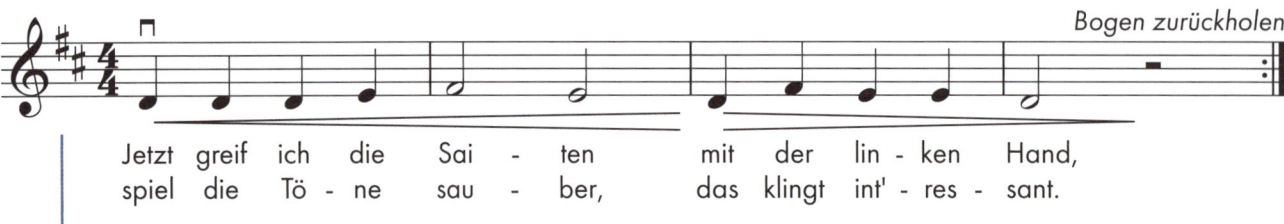

Jetzt greif ich die Sai – ten   mit der lin – ken Hand,
spiel die Tö – ne sau – ber,   das klingt int' – res – sant.

 05

Collé

Halte den rechten Arm und die rechte Hand so, als hättest du ein Wasserglas in der Hand (Abb. 1). „Gieße das Wasser aus" (Abb. 2) – dabei soll sich der Oberarm so bewegen, dass sich die Hand senkt und sich der Ellenbogen hebt. Wiederhole die Wasserglasübung einige Male.

Übe das Be- und Entlasten des Bogens: Setze den Bogen auf und führe die Bewegung aus, während der Bogen auf der Saite liegen bleibt. Der Ellenbogen hebt sich, wenn der Zeigefinger nachgibt (Abb. 3 und 4).

Wenn der Zeigefinger stabil ist, wird die Bogenstange in Richtung Saite gedrückt. Wenn du jetzt die Schulter lockerst, sodass der Ellenbogen nach unten fällt und der Bogen die Saite verlässt, entsteht ein kurzer Ton (Abb. 5 und 6).

 18

Eine harte Nuss

Musik: Ute Adler
© Helbling

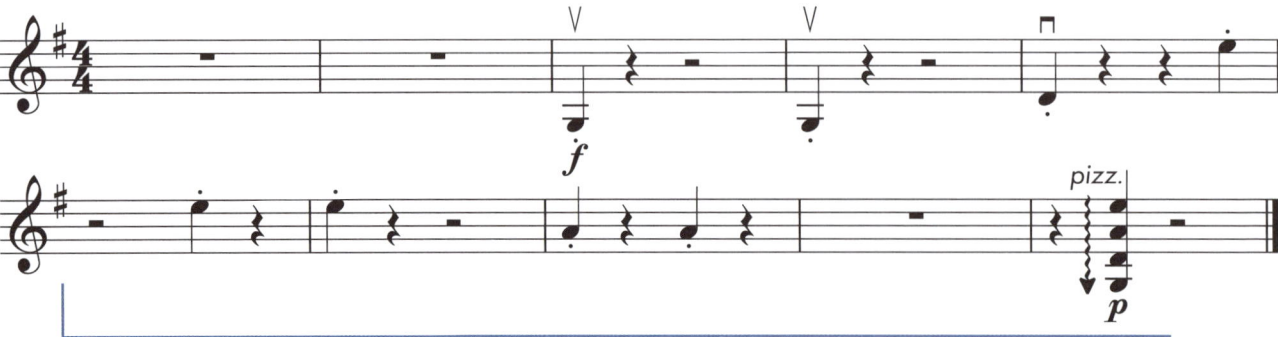

Sweet Eyed Sue

Musik: Stanley Fletcher, © Diese Bearbeitung mit freundlicher
Genehmigung des Musikverlages Boosey & Hawkes
Bote & Bock GmbH, Berlin

▶ Spiele die Noten mit einem Akzent-Zeichen (>) über oder unter der Note
mit einer besonderen Betonung.

Die Stammtonreihe

▶ Notiere die fehlenden Notennamen. Markiere die Töne der leeren Saiten farbig.

In der Notenzeile sind die Stammtöne notiert. Die Namen der Töne kennst du schon aus der Grundschule. Nach unten und oben hin könnte die Reihe endlos fortgesetzt werden. Alle Töne sind im gleichen Abstand notiert. Es ist nicht erkennbar, wann es **Ganztonschritte** und **Halbtonschritte** gibt.

Halbtonschritte liegen in der Stammtonreihe immer zwischen den Tönen *e* und *f* sowie *h* und *c*. Du kannst sie dir gut merken, wenn du an das Wort „Chef" denkst.

▶ Markiere in der Stammtonreihe oben die Halbtonschritte mit ∧ wie zwischen
e und *f* vorgegeben.

Zwischen den Tönen mit dem Abstand eines Ganztonschrittes gibt es jeweils noch einen weiteren Ton, der nur mit einem Hilfsmittel aufzuschreiben ist, mit einem **Vorzeichen** (auch **Versetzungszeichen** genannt).

Ein **Kreuz** ♯ vor der Note erhöht den Ton.   Ein **Be** ♭ setzt ihn tiefer.

Nun auf zwei Saiten

Musik: überliefert aus Ungarn

Das ♯ vor dem Ton macht hier aus dem *c* ein **cis** und aus dem *f* ein **fis**.
Jedes Vorzeichen gilt bis zum Ende des Taktes. In den Takten 2 und 4 steht das Kreuz vor dem dritten Ton des Taktes noch einmal zur Erinnerung in Klammern, in der zweiten Zeile nicht mehr. Das *fis* soll dort aber auch jeweils zwei Mal gespielt werden.

Puppenballett

Musik: Stanley Fletcher
© Mit freundlicher Genehmigung des Musikverlages
Boosey & Hawkes Bote & Bock GmbH, Berlin

Szene 1

Szene 2

Szene 3

Die zweite Griffstellung

Baue deine linke Hand auf der D-Saite auf. Mit dem
2. Finger greifst du jetzt den Ton **fis** (Abb. 1).
Dies bezeichnet man als erste Griffstellung (mit hohem
2. Finger).

Um den Ton **f** zu spielen, muss der 2. Finger seinen Platz
ändern: er steht nun neben dem 1. Finger (Abb. 2).
Das ist die zweite Griffstellung (mit tiefem 2. Finger).

Übe den Griffstellungswechsel, indem du den 2. Finger
einige Male zwischen beiden Positionen hin und her
schiebst. Lass den 3. Finger dabei auf der Saite stehen.
Nimm nun den 3. Finger von der Saite und zupfe
abwechselnd die Töne **fis** und **f**.

Auflösungszeichen

Mit einem **Auflösungszeichen** hebt man die Wirkung eines Versetzungszeichens auf.

In der zweiten Zeile des Stückes *Regenwetter* benötigt man dieses Zeichen eigentlich nicht; es wurde in Klammern notiert, um sicherzugehen, dass an dieser Stelle kein *fis* mehr gespielt wird.

Regenwetter

Text u. Musik: Ute Adler
© Helbling

Pfüt - zen nimmt der Bau - er Schmidt mit ge - wal - tig gro - ßem Schritt.

Doch Frau Schmidt im en - gen Kleid kommt mit ih - rem Fuß nicht weit.

Süß und sauer

Text u. Musik: überliefert aus den USA
Dt. Text: überliefert

Sü - ße Drops, sü - ße Drops, zwan-zig Cent für ei - ne Tü - te sü - ße Drops.

Sau - re Drops, sau - re Drops, zwan-zig Cent für ei - ne Tü - te sau - re Drops.

► Schreibe die Namen der Töne über die Notenzeilen.

Einsaitig mit vier verschiedenen Tönen

► Ergänze die Melodie mit Viertelnoten auf der D-Saite. Benutze die erste Griffstellung (mit hohem 2. Finger).

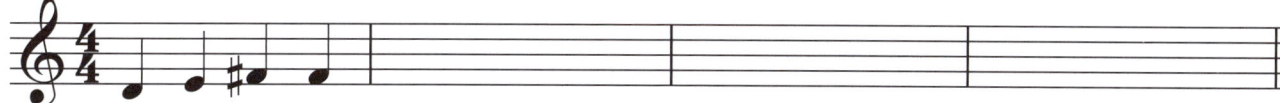

► Schreibe die Melodie für die zweite Griffstellung (mit tiefem 2. Finger) weiter.
Nutze Viertel und Halbe Noten auf der D-Saite.

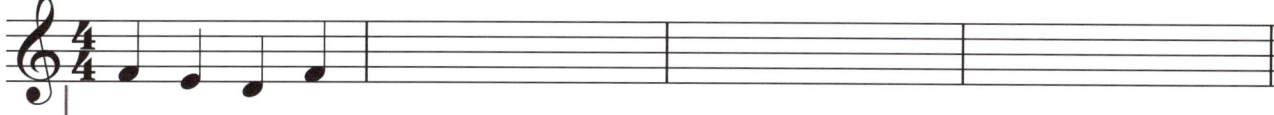

Melodie aus Frankreich

Musik: überliefert aus Frankreich

Melodie der Chuwaschen

Musik: überliefert aus Russland

Das Volk der Chuwaschen lebt in Russland am Oberlauf der Wolga, etwa 600 km östlich von Moskau.

Der durige Dreiton

Musik: Ute Adler
Text: Martin Müller Schmied
© Helbling

Hell und freund-lich singt es. Greifst du gut, ge - lingt es.

Ei - ne gro - ße Terz klingt, denn es ist Dur.

Dur und Moll

Vergleiche die Noten der Stücke *Der durige Dreiton* und *Der mollige Dreiton* miteinander.
Die Noten scheinen auf den ersten Blick gleich zu sein. Der einzige Unterschied (der aber große Auswirkungen auf das Spielen und den Klang hat) besteht in den Vorzeichen vor manchen Tönen.

Das Kreuz verlangt, den im ersten Zwischenraum stehenden Ton *f* zu erhöhen (es wird *fis* daraus), indem mit dem hohen 2. Finger gegriffen wird (er wird eng beim 3. Finger aufgesetzt).
Fehlt das Kreuz (wie im Stück *Der mollige Dreiton*), muss das *f* mit dem tiefen 2. Finger gegriffen werden (er wird eng beim 1. Finger aufgesetzt).

D-Dur

d-Moll

D-Dur verlangt zwei Ganztonschritte über der leeren D-Saite. Vom Ton *d* auf der leeren Saite bis zum *fis* (hoher 2. Finger) entsteht eine **große Terz**.

d-Moll verlangt einen Ganztonschritt und einen Halbtonschritt (**kleine Sekunde**) über der leeren D-Saite. Vom Ton *d* auf der leeren Saite bis zum *f* (tiefer 2. Finger) entsteht eine **kleine Terz**.

Von der leeren D-Saite bis zum aufgesetzten 1. Finger (Ton *e*) ist es immer ein Ganztonschritt (**große Sekunde**), sowohl in Dur als auch in Moll.

Der mollige Dreiton

Musik: Ute Adler
Text: Martin Müller Schmied
© Helbling

Dun - kel und auch weich hallt's, meist auch et - was leis schallt's.

Ei - ne klei - ne Terz klingt, denn es ist Moll.

Vorzeichen am Anfang der Zeile

Die für ein Stück am meisten gebrauchten Vorzeichen stehen hinter dem Notenschlüssel. Sie gelten nicht nur für die Linie oder den Zwischenraum, wo sie stehen, sondern für alle Töne mit dem gleichen Namen (auch in anderer Lage, z.B. eine Oktave tiefer).

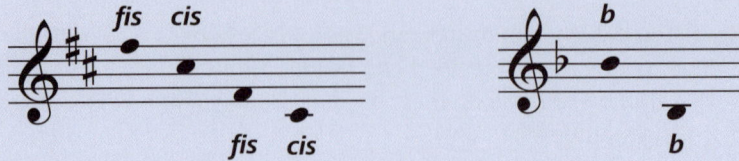

Gelegentlich stehen am Anfang der Notenzeile auch Vorzeichen für Töne, die in der Melodie selbst gar nicht vorkommen. Daran lässt sich die Tonart ablesen.

Der durige Vierton

Musik: Ute Adler
Text: Martin Müller Schmied
© Helbling

Den Auf - takt spie - len wir in die - ser Vier - ton - me - lo - die. Der

zwei - te Ton, der ist be - tont, der Auf - takt ist es nie.

Der mollige Vierton

Musik: Ute Adler
Text: Martin Müller Schmied
© Helbling

In Moll klingt es auch, wenn die Fin - ger gut stehn. Das

Vor - zei - chen liest man, und dann wird es gehn.

Martelé

Beginne den Strich wie beim Collé (S. 26). Lass den Bogen aber auf der Saite liegen und ziehe ihn mit wenig Belastung weiter, etwa bis zum Zweidrittelpunkt. Halte die Bewegung an und bereite den Arm am Zweidrittelpunkt wieder wie für einen Colléstrich vor. Spiele nun in der gleichen Weise im Aufstrich.

> Diese Strichart heißt **Martelé.** Auf Deutsch bedeutet das „gehämmert".
> Der Ton hat einen klaren Ansatz und einen Nachhall, dem eine Pause folgt.

Achte auf die Klangqualität. Wie viel Druck ist für einen klaren Tonansatz nötig?
Achte auch darauf, dass der Bogen nicht zu nah an den Steg gerät.

Eine harte Nuss

Musik: Ute Adler
© Helbling

► Spiele das dir bereits bekannte Stück (S. 26) nun im Martelé.

Jungle Dance

Musik: Stanley Fletcher
© Mit freundlicher Genehmigung des Musikverlages
Boosey & Hawkes Bote & Bock GmbH, Berlin

nah am Frosch

► Spiele die zweite Stimme des *Jungle Dance* im Martelé. Lege den Bogen auf zwei Saiten gleichzeitig auf.

Musik: überliefert aus England
Dt. Text: Ute Adler
© Helbling

Marys Lamm

Bogen zurückholen

Ma - ry hat ein klei - nes Lamm, klei - nes Lamm, klei - nes Lamm,

Ma - ry hat ein klei - nes Lamm mit Wol - le weiß wie Schnee.

Bogen zurückholen

Ma - ry sucht ihr klei - nes Lamm, klei - nes Lamm, klei - nes Lamm,

Ma - ry sucht ihr klei - nes Lamm mit Wol - le weiß wie Schnee.

Der erste Teil des Stückes *Marys Lamm* steht in D-Dur, der zweite in d-Moll. Erkennbar ist dies auch an den unterschiedlichen Vorzeichen nach dem Notenschlüssel. Wechselt (wie hier) in einem Stück die Tonart, wird dies oft am Ende der vorhergehenden Zeile bereits angekündigt.

Die D-Dur-Tonleiter

d e fis g a h cis d

Halbtonschritt   Halbtonschritt

Tonleitern der gleichen Art haben immer denselben Aufbau mit Ganz- und Halbtonschritten: **Dur-Tonleitern** beginnen und enden auf dem Grundton (in diesem Fall dem Ton *d*) und haben Halbtonschritte (kleine Sekunden) zwischen dem dritten und vierten Ton und zwischen dem siebten und achten Ton. Alle anderen Tonschritte sind Ganztonschritte (große Sekunden).

①.   ②.
0   1 ↑2   3   0   1 ↑2   3

▶ Spielt die D-Dur-Tonleiter auch gemeinsam im Kanon. Wendet verschiedene Stricharten an.

▶ Übe auch diese rhythmischen Varianten:

1.   2.

3.   4.

Freude, schöner Götterfunken, Tochter aus Elysium,
wir betreten feuertrunken, Himmlische, dein Heiligtum.
Deine Zauber binden wieder, was die Mode streng geteilt.
Alle Menschen werden Brüder, wo dein sanfter Flügel weilt.

Friedrich von Schiller

Ludwig van Beethoven

Ode an die Freude

Musik: Ludwig van Beethoven
Bearbeitung: Martin Müller Schmied

(aus dem Schlusssatz der 9. Sinfonie, op. 125)

Ode an die Freude – Begleitung

Satz: Martin Müller Schmied
© Helbling

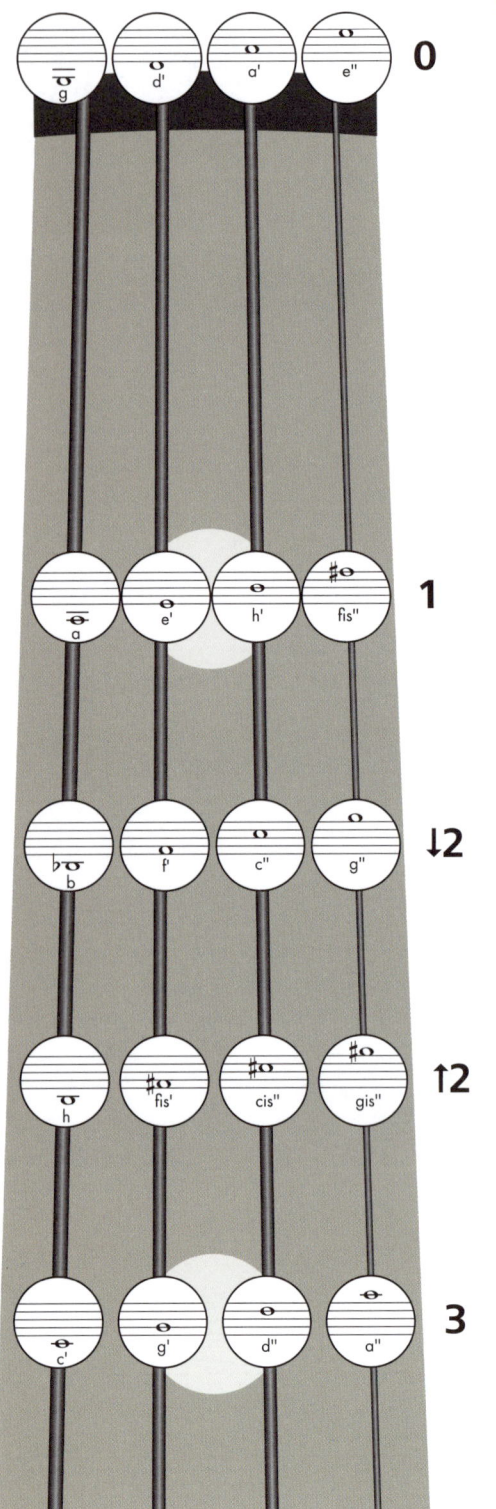

Bei des Mondes Scheine

(Au clair de la lune)

Musik: nach
Jean Baptist Lully
Dt. Text:
Lorenz Maierhofer
© Helbling

1. Bei des Mon - des Schei - ne,
Leih mir dei - ne Fe - der,

Pier - rot, bitt' ich dich:
schrei - ben möch - te ich!

Kann auch nur schlecht se - hen,

hab kein Feu - er hier,

bitt' um dei - ne Hil - fe,

kom - me her zu mir!

Am Lagerfeuer

Musik: überliefert aus Ungarn
Dt. Text: Heidi Kirmße
© Volk und Wissen

1. Fla - ckern - des Feu - er,   Zel - te, die träu - men,   Schür die Glut und lass das Feu - er
ruh - lo - ser Nacht - wind   fern in den Bäu - men.

nicht ver - we - hen!   Ü - bers Jahr erst wer - den wir ein neu - es se - hen.

Bogenjogging auf hohem Niveau

Bereite vor jedem Saitenübergang den Arm auf die neue Saitenebene vor.
Benutze für Halbe Noten den ganzen und für Viertelnoten den halben Bogen.
Beginne immer mit Abstrich.

Beginne jede Übung auch mit der höheren Saite.

► Beachte die angegebenen Strichrichtungen.

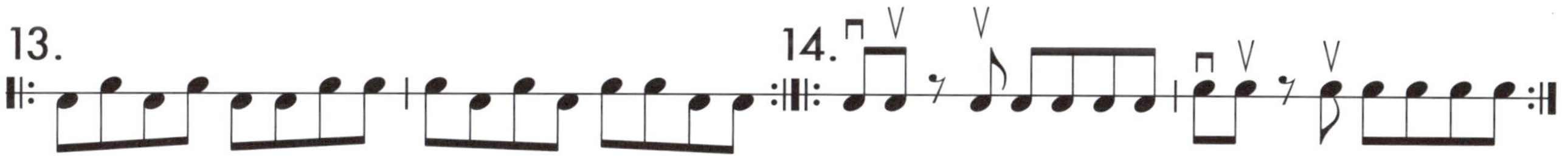

Mit rhythmischer Vorgabe

► Erfinde eine Melodie auf einer Saite. Verwende folgenden Rhythmus:

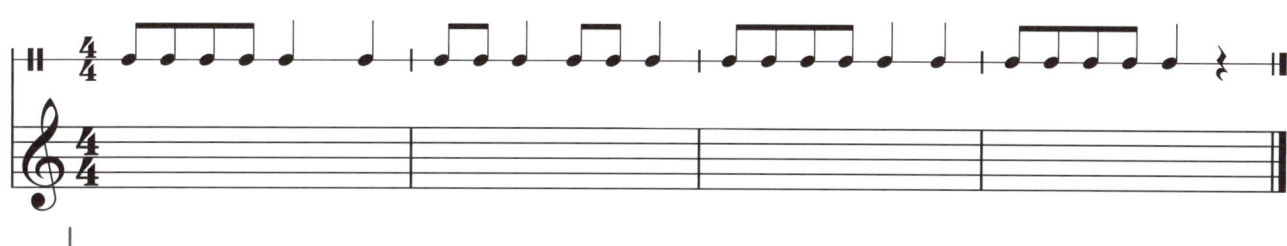

We Will Rock You

Musik: Brian May
© Queen Music Ltd., London/EMI Music
Publishing Germany Gmbh, Berlin

Pause

Stompy — klatschen / stampfen

Basic 1

Basic 2

Willy

Rocky — (bei Wiederholung mit V beginnen)

End

We Will Rock You ist einer der erfolgreichsten Songs der Rockgeschichte. Die britische Band Queen brachte ihn gemeinsam mit *We Are the Champions* 1977 auf einer Single heraus und stürmte damit die Charts.

Stelle selbst ein Spielstück für die Streicherklasse zusammen.

► Alle Instrumente sollten die Themen „Willy" und „Rocky" spielen. Die Elemente können wiederholt werden.
► Nach dem „Stompy" muss wenigstens ein Takt Pause eingefügt werden (und auch davor, falls „Stompy" nicht am Anfang ausgeführt wird).
► Beachte, dass „Willy" und „Rocky" aus zwei Takten bestehen.
► Zum Schluss wird gemeinsam das „End" musiziert.

► Benutze in der Partitur folgende Farben:

Pause	Stompy	Basic 1	Basic 2	Willy	Rocky	End

Takt	1	2	3	4	5	6	7	8	9	10	11	12
Violine												
Viola												
Violoncello												
Kontrabass												

Takt	13	14	15	16	17	18	19	20	21	22	23	24
Violine												
Viola												
Violoncello												
Kontrabass												

Der 4. Finger

Oft passt aus klanglichen Gründen ein gegriffener Ton besser in eine Melodie als die leere Saite. Mit dem 4. Finger kannst du den Ton der nächsthöheren leeren Saite ersetzen. Manchmal kann man durch den Einsatz des 4. Fingers auch einen Saitenwechsel vermeiden. Auf der E-Saite erreicht man dadurch einen noch höheren Ton.

Melody 4 You

Musik: Martin Müller Schmied
© Helbling

▶ Benutze statt der leeren A-Saite den 4. Finger auf der D-Saite.

Die C-Dur-Tonleiter

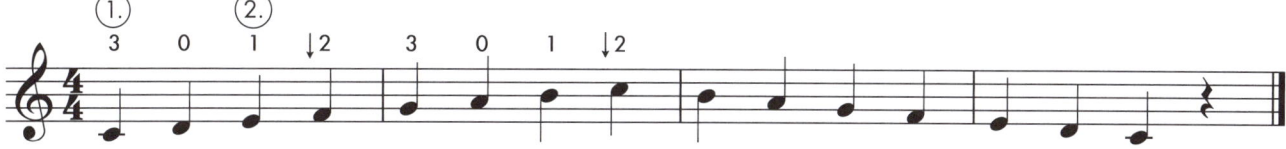

Folksong aus Ungarn

Musik: überliefert aus Ungarn

Aura Lee

Musik: nach George R. Poulton
Satz: Martin Müller Schmied
© Helbling

► Hier kommen zwei verschiedene Griffstellungen vor (hoher oder tiefer 2. Finger). Suche die Stellen heraus und schreibe den Fingersatz darüber.

► Die Melodie wandert bei der hier vorliegenden Fassung durch die verschiedenen Stimmen. Hebe die Melodie hervor, indem du dann im *f* spielst.

Durch den amerikanischen Popstar *Elvis Presley* wurde dieses Lied aus dem 19. Jh. unter dem Titel *Love Me Tender* zu einem Millionenerfolg.

Die G-Dur-Tonleiter

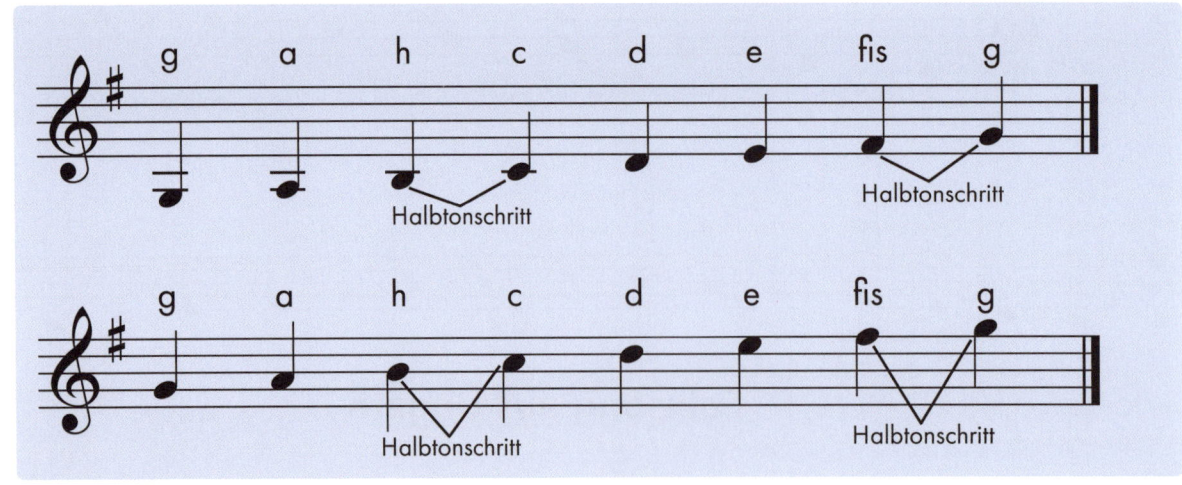

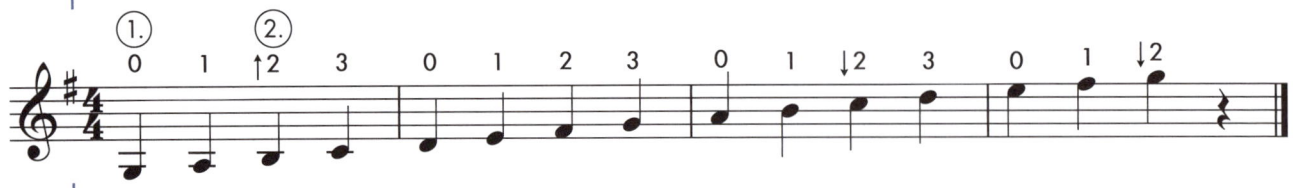

Old Mac Donald Had a Farm

Text u. Musik: überliefert aus den USA
Satz: Ute Adler, © Helbling

(Notenzeilen mit Text):

1. Old Mac Do - nald | had a farm, | I - A - I - A - O. | And

on his farm he | had some chicks, | I - A - I - A - O. | With a

chick - chick here and a | chick - chick there, | here a chick, there a chick, | ev'-ry-where a chick - chick.

Old Mac Do - nald | had a farm, | I - A - I - A - O.

Der melodische Impuls

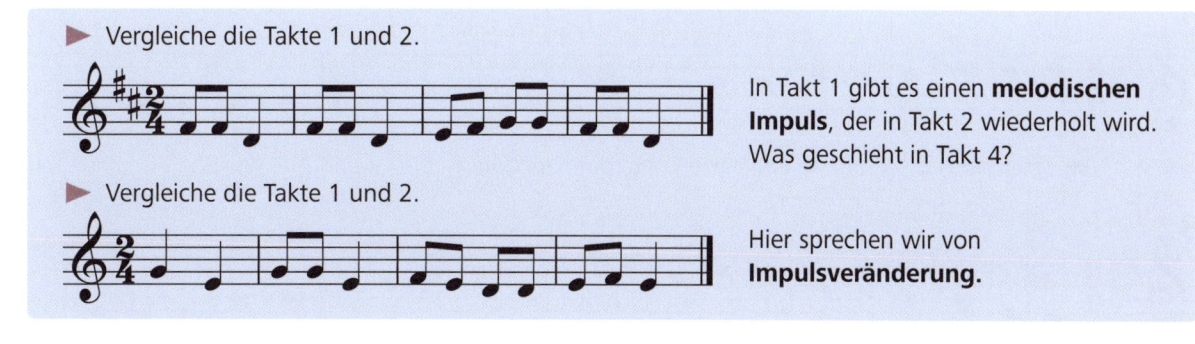

► Vergleiche die Takte 1 und 2.

In Takt 1 gibt es einen **melodischen Impuls**, der in Takt 2 wiederholt wird. Was geschieht in Takt 4?

► Vergleiche die Takte 1 und 2.

Hier sprechen wir von **Impulsveränderung.**

► Erfinde eine Melodie, in der ein melodischer Impuls wiederholt und dabei verändert wird.

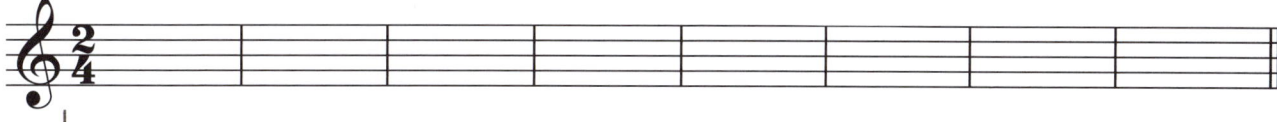

Up and Down – Tonleitermelodien in D-Dur

Musik: Ute Adler
© Helbling

1.

▶ Spielt diese Übung erst einstimmig, dann im Kanon. Benutzt das mittlere Bogendrittel.

2.

3.

▶ Spielt die Übungen 2 und 3 auch als zweistimmiges Stück.

▶ Spielt die Viertelnoten im unteren Drittel, die Dreiviertelnoten mit dem ganzen Bogen.

Bogenwandern

Gelegentlich muss beim Spielen gleicher Notenwerte eine andere Bogenstelle erreicht werden. In diesem Fall müssen die Abstriche immer etwas länger sein als die Aufstriche – oder umgekehrt. Diese längeren Striche sollen aber nicht lauter klingen.

1.

▶ Spielt diese Übung erst einstimmig, dann im Kanon. Beginnt am Frosch und „wandert" in den Takten 1–3 und 5–7 bis zur Bogenspitze.

2.

▶ Spielt auch diese Übung erst einstimmig, dann im Kanon und „wandert", wie oben beschrieben.

3.

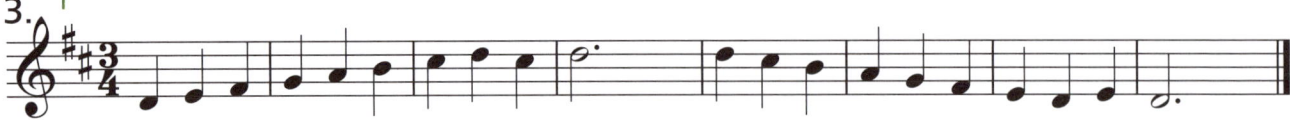

▶ Beginnt am Frosch und „wandert" in den Takten 1–3 und 5–7 bis zur Bogenspitze.
▶ Spielt die Übungen 3 und 4 auch als zweistimmiges Stück.

4.

▶ Spielt die Dreiviertelnoten mit dem ganzen Bogen. Bleibt in den Takten 2–7 im oberen Bogendrittel.

Lauf, mein Pferdchen

Musik: überliefert aus Island

Französisches Lied

Musik: überliefert aus Frankreich

Tanz aus der Renaissance

Melodie: überliefert
Satz: Hans Georg Mareck
© Helbling

Als **Renaissance** bezeichnet man die Epoche etwa zwischen 1430 und 1600.

Das Motiv

Betrachte und spiele folgende Melodie.

Manchmal klingen zwei melodische Impulse (wie in den Takten 1 und 2), als gehörten sie zusammen. Solche Einheiten nennen wir **Motiv**.

▶ Erfinde ein Motiv (mit Saitenübergang). Wiederhole es und verändere es dabei rhythmisch.

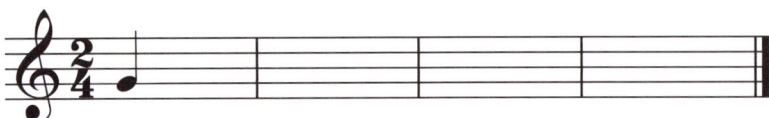

Bogenjogging mit zwei Strichen in eine Richtung

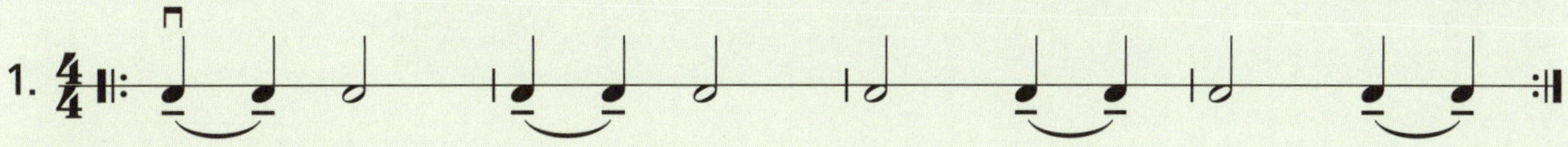

1. (notation)

Ausführung:

(notation)

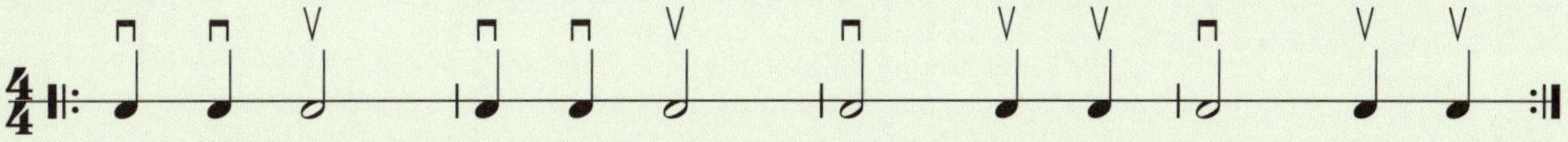

Benutze für Halbe Noten den ganzen und für Viertelnoten den halben Bogen.

2. (notation)

Setze den Bogen in der Viertelpause an den Frosch zurück.

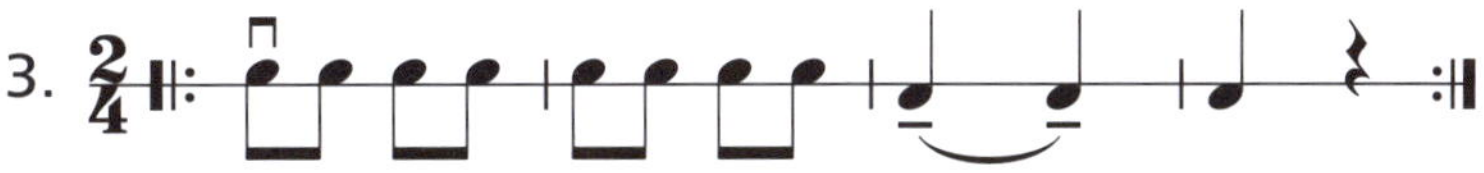

3. (notation)

Nimm für die Achtel deutlich weniger Bogen als für die Viertel.

Banjo Tune

Musik: Stanley Fletcher
© Mit freundlicher Genehmigung des Musikverlages
Boosey & Hawkes Bote & Bock GmbH, Berlin

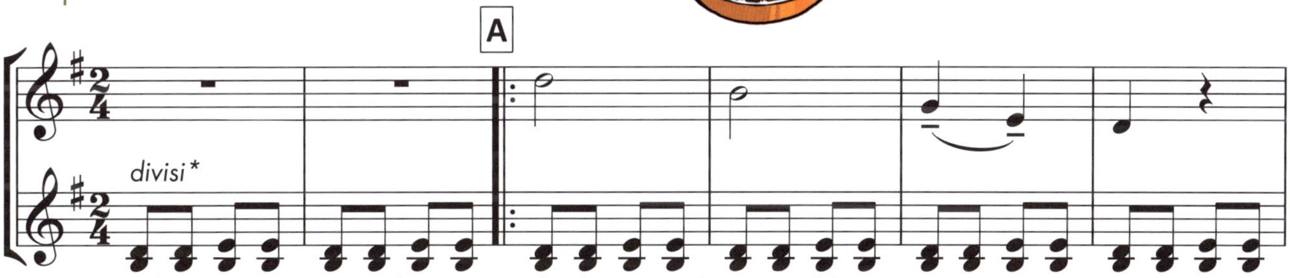

A

*divisi**

*die zwei Stimmen werden von verschiedenen Spielern ausgeführt

B

1. 2.

SPECIAL Mit Kanons um die Welt

Der Kanon

Bei einem **Kanon** musiziert ihr alle die gleiche Melodie. Das Besondere dabei ist allerdings, dass ihr damit nacheinander einsetzt. Wenn die 1. Stimme bei Ziffer 2 angelangt ist, beginnt die 2. Stimme von vorn. Die Stimmen 3 und 4 beginnen entsprechend später. Dadurch entsteht ein mehrstimmiges Stück.

Die **Fermate** gibt bei einem Kanon die Töne an, an denen das Stück beendet wird. Durch das unterschiedliche Einsetzen der Stimmen ergeben sich auch verschiedene Stellen für den Schluss. Der mit einer Fermate gekennzeichnete Ton wird so lange ausgehalten wie der Dirigent anzeigt.

Bruder Jakob

Text u. Musik:
überliefert aus Frankreich

Bru - der Ja - kob, Bru - der Ja - kob, schläfst du noch? Schläfst du noch?

Hörst du nicht die Glo - cken, hörst du nicht die Glo - cken? Ding, dang, dong, ding, dang, dong.

Come Along

Text u. Musik:
überliefert aus den USA

Come a - long, sing a song, fol - low me, it is eas - y you can see.

Ever - y day, in this way, just re - peat, 'till the tune's com - plete.

Kookaburra

Text u. Musik: Marion Sinclair
© Larrikin Music Publishing Pty., Ltd./
Bosworth Music GmbH, Berlin

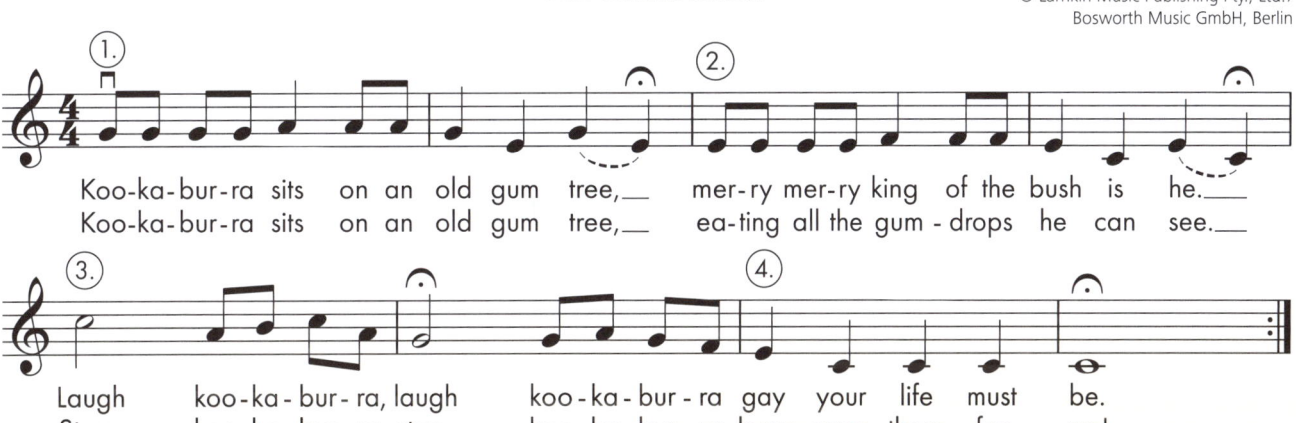

Koo-ka-bur-ra sits on an old gum tree,___ mer-ry mer-ry king of the bush is he.___
Koo-ka-bur-ra sits on an old gum tree,___ ea-ting all the gum-drops he can see.___

Laugh koo-ka-bur-ra, laugh koo-ka-bur-ra gay your life must be.
Stop, koo-ka-bur-ra, stop, koo-ka-bur-ra, leave some there for me!

▶ Manche Töne sind besser mit dem 4. Finger anstelle der leeren Saite zu spielen. Suche diese Töne.

Shalom chaverim

Text u. Musik:
überliefert aus Israel

Sha - lom cha-ve-rim, sha - lom cha-ve-rim, sha - lom, sha -

lom! Le hi-tra-ot, le hi-tra-ot, sha-lom, sha-lom!

* Tipp: Eine Erklärung zu den
punktierten Noten findest
du auf der Seite 51.

Übersetzung des Textes:
Friede sei mit euch, Freunde!
Lebt wohl!

Lied vom Birkenbaum

Musik: überliefert aus Russland
Dt. Text: August Scholz

1. Stand ein Bir-ken-baum am grü-nen Rai - ne,   stand so ein-sam dort, so ganz al - lei - ne.

Ach,   ja   ja, so ganz al - lei - ne,   ach,   ja   ja, so ganz al - lei - ne.

► Singt das *Lied vom Birkenbaum*.

Dieses Lied weist die für viele russischen Lieder typischen Merkmale auf:
- Es steht in einer Moll-Tonart.
- Die Melodie fällt immer wieder zum Grundton hin ab.
- Für uns besonders ungewöhnlich sind die dreitaktigen
  Melodieabschnitte.

Peter I. Tschaikowski (1840–1893) verwendet diese Melodie
im Schlusssatz seiner 4. Sinfonie. Hierfür wandelt er sie ab.
Am Notenbeispiel (unten) lässt sich erkennen, wie er sie an die
Viertaktigkeit eines klassischen Stückes anpasst.

Peter Iljitsch
Tschaikowski

23

Thema aus der 4. Sinfonie

Musik: Peter I. Tschaikowski
Arrangement:
Martin Müller Schmied
© Helbling

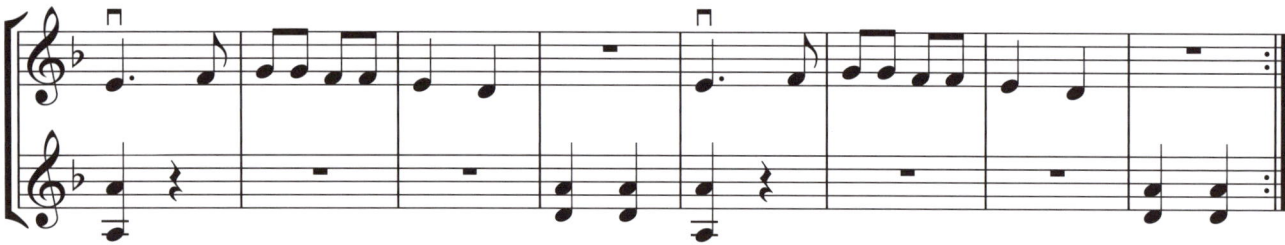

► Tschaikowski variiert das Thema. Recherchiert nach einer Aufnahme des letzten Satzes
   von Tschaikowskis 4. Sinfonie und versucht die Stelle herauszuhören, die oben notiert ist.
   Welche Instrumente spielen anstelle der Violinen das Thema?

► Spielt das Stück.
   Hinweis: Die zwei Töne der Begleitstimme in Takt 1 spielst du nur bei der Wiederholung.

Folgender Ablauf ist denkbar, wenn das Stück von der ganzen Streicherklasse gespielt wird:
1. Durchgang: Melodie in den **Violinen**, Begleitung durch die anderen Streicher
2. Durchgang: Melodie in den **Violoncelli**, Begleitung durch die anderen Streicher
3. Durchgang: Melodie in den **Bratschen**, Begleitung durch die anderen Streicher
4. Durchgang: Melodie in den **Kontrabässen**, Begleitung durch die anderen Streicher
   Zum Schluss zupfen alle die beiden Begleittöne aus Takt 1.

Moll-Tonleitern

Auch **Moll-Tonleitern** haben immer den gleichen Aufbau:
Halbtonschritte (kleine Sekunden) zwischen dem zweiten und dritten sowie zwischen
dem fünften und sechsten Ton. Alle anderen Tonschritte sind Ganztonschritte (große Sekunden).

Die d-Moll-Tonleiter

Die a-Moll-Tonleiter

▶ Spielt die a-Moll-Tonleiter gemeinsam im Kanon.

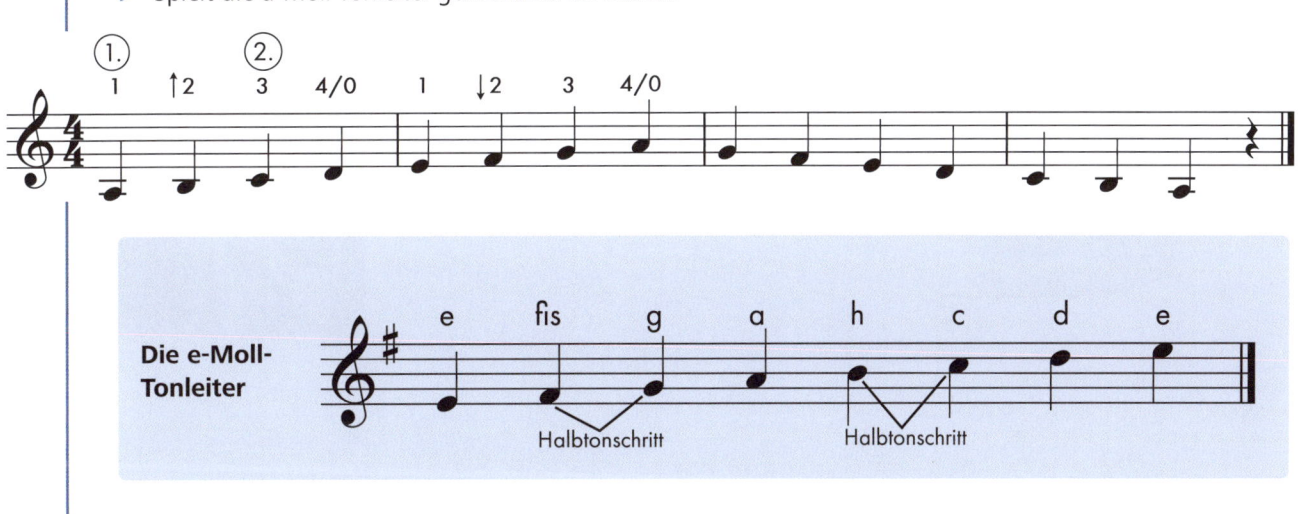

Die e-Moll-Tonleiter

Es saß ein schneeweiß Vögelein

Musik: überliefert aus Flandern
Dt. Text: Gottfried Wolters
© Möseler Verlag, Wolfenbüttel

1. Es saß ein schnee-weiß Vö-ge-lein auf ei-nem spit-zen Dör-ne-

lein, din don dei-ne, auf ei-nem spit-zen Dör-ne-lein, din don don.

Von d bis a

▶ Erfinde eine Melodie von der leeren D-Saite bis zur leeren A-Saite.

A Groovy Kind of Love

Musik: nach Muzio Clementi
© EMI Music Publishing Germany GmbH, Berlin

Bekannt wurde das Lied *A Groovy Kind of Love* in der Interpretation durch den englischen Popkünstler Phil Collins. Wesentliche Teile der Melodie wurden bereits vor etwa 200 Jahren von Muzio Clementi geschrieben, einem damals sehr bedeutenden italienischen Klaviervirtuosen und -komponisten.

Dreamy Eyed Sue

Musik: Stanley Fletcher
© Mit freundlicher Genehmigung des Musikverlages
Boosey & Hawkes Bote & Bock GmbH, Berlin

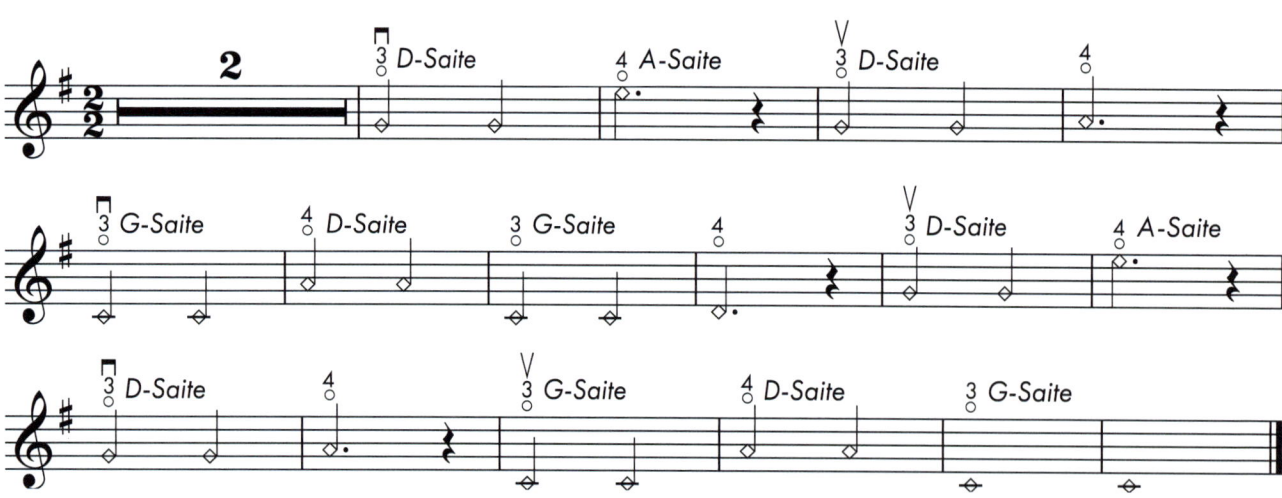

▶ Lies auf S. 24 über Flageolett-Töne nach.

Im Stück *Dreamy Eyed Sue* werden keine Oktavflageoletts wie bei *Kalevala* (S. 24) gespielt. Die erzeugten Töne klingen anders als die notierten. Setze den Finger ohne Druck an den angegebenen Stellen auf und spiele Flageolett.
Lass dich überraschen, welche Melodie dabei herauskommt.

Punktierte Noten

In den Stücken auf diesen Seiten gibt es **punktierte Noten**. Der Punkt hinter dem Noten-kopf zeigt an, dass die Note um die Hälfte ihres Wertes verlängert wird.

Punktierte Halbe Note

Punktierte Viertelnote

Punktierte Achtelnote

Kumbayah

Text u. Musik: überliefert aus den USA
Satz: Martin Müller Schmied
© Helbling

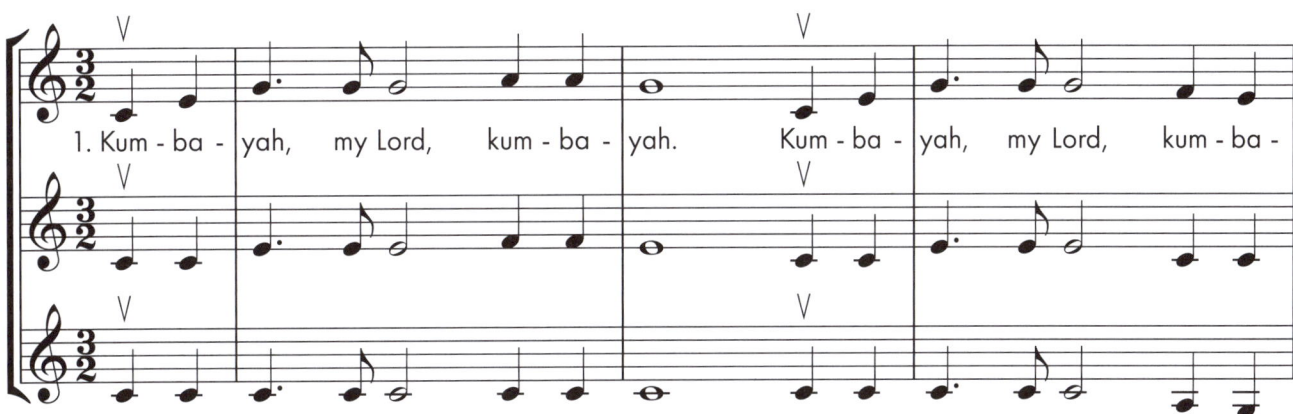

1. Kum - ba - yah, my Lord, kum - ba - yah. Kum - ba - yah, my Lord, kum - ba -

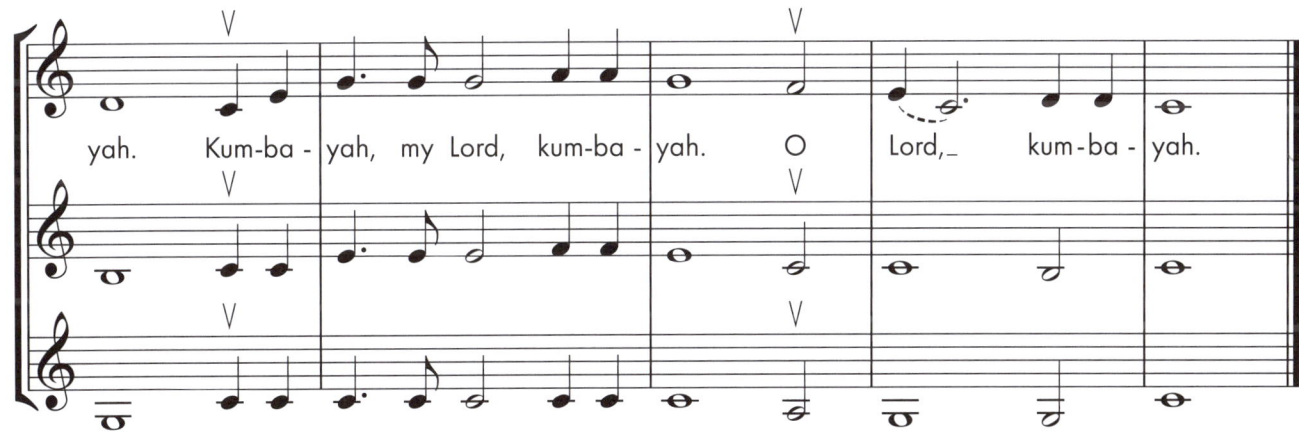

yah. Kum-ba-yah, my Lord, kum-ba-yah. O Lord,_ kum-ba-yah.

I Am Sailing

Text u. Musik: Gavin Maurice Sutherland
© Island Music Ltd./Universal Music
Publishing GmbH, Berlin

I am sail - ing, I am sail - ing home a - gain_ 'cross the sea. I am

sail - ing storm - y wa - ters to be near you, to be free.

SPECIAL # Mit dem Rondo durch Europa

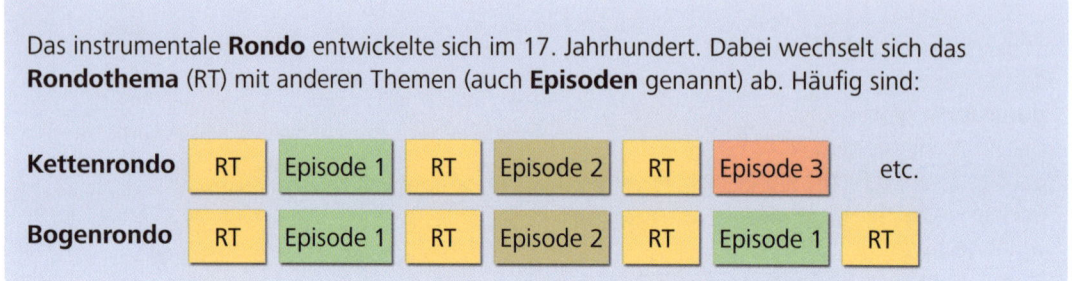

Das instrumentale **Rondo** entwickelte sich im 17. Jahrhundert. Dabei wechselt sich das **Rondothema** (RT) mit anderen Themen (auch **Episoden** genannt) ab. Häufig sind:

| Kettenrondo | RT | Episode 1 | RT | Episode 2 | RT | Episode 3 | etc. |

| Bogenrondo | RT | Episode 1 | RT | Episode 2 | RT | Episode 1 | RT |

Musiziert ein Rondo. Überlegt vorher, wer welche Episoden spielt (welche Instrumentengruppe oder einzelne Spieler?). Das Rondothema können alle zusammen zweistimmig spielen. Einzelne mutige Spieler können eine Episode improvisieren, also aus dem Stegreif erfinden (*Melodie aus Improvisatolien*).

Rondothema

Musik: überliefert aus der Renaissance
Satz: Hans Georg Mareck
© Helbling

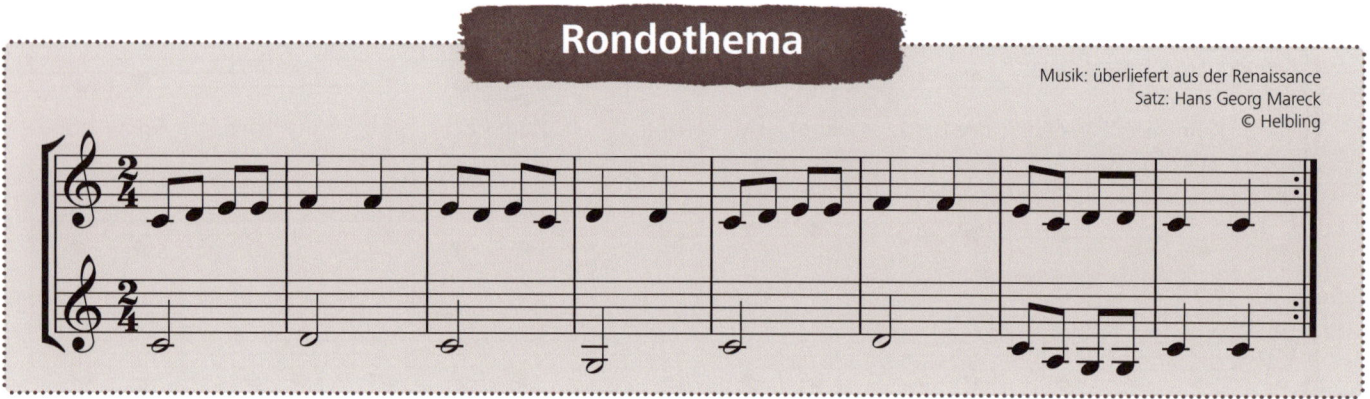

Melodie aus Litauen

Musik: überliefert aus Litauen

Melodie aus Estland

Musik: überliefert aus Estland

Melodie aus Improvisatolien

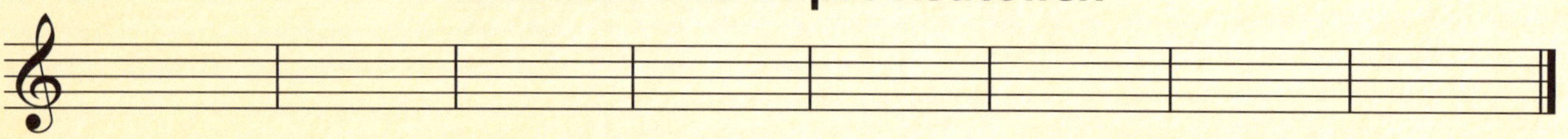

Melodie aus Polen

Musik: überliefert aus Polen

Welch ein Mädchen

Musik: überliefert aus Bulgarien

Ritardando und Fermate

 Die Vortragsbezeichnung **ritardando** (rit.) verlangt das deutliche, aber allmähliche Verlangsamen. Der Ton mit der **Fermate** wird länger ausgehalten. Danach geht es im normalen Tempo weiter.

God Save Our Gracious Queen

Text u. Musik: überliefert aus England

1. God save our gra-cious Queen, long live our no-ble Queen, God save the Queen.

Send her vic-to-ri-ous, hap-py and glo-ri-ous, long to_ reign o-ver us, God save the Queen.

Es waren zwei Königskinder

Text u. Musik: überliefert

1. Es wa-ren zwei Kö-nigs-kin-der, die hat-ten ein-an-der so lieb.

Sie konn-ten zu-sam-men nicht kom - men,_ das_ Was-ser war viel_ zu_

tief, das Was-ser war viel_ zu_ tief.

Bemerkenswert an diesem Lied sind die großen Intervalle, mit denen die ersten Melodieabschnitte beginnen:

Große Sexte   Kleine Septime   Oktave

Long, Long Ago

Musik: Thomas Haynes Bayly
Satz: Ute Adler
© Helbling

► Kennzeichne mit einem Textmarker deine Stimme und spiele aus der Partitur von *Long, Long Ago*.
Verfolge die Noten der anderen Stimmen mit. Beachte die Lautstärkeangaben. Wann spielst du das Thema?

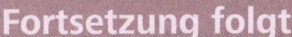

Fortsetzung folgt

► Führe die Melodie weiter.

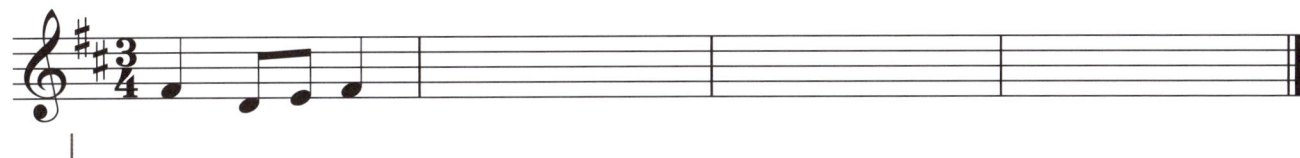

Oh, When the Saints

Musik: überliefert aus den USA
Satz: Martin Müller Schmied
© Helbling

1. Oh, when the Saints go mar-chin' in, oh, when the Saints go

mar - chin' in, O Lord, I want to be in that

num-ber, when the Saints go mar - chin' in.

07

Connections: Legato

Führe die in den Bildern gezeigten Bewegungen ohne Instrument mit der rechten Hand aus – zuerst ohne, dann mit Bogen.

Streiche dann mit den gleichen Bewegungen von Arm und Hand über alle vier Saiten. Wie bei den Übungen ohne Instrument sollen die Bewegungen rund und ohne Unterbrechung sein. Alle Töne, die durch einen Bindebogen über den Noten zusammengefasst sind, werden auf einen Bogen gespielt, d. h. die Strichrichtung ändert sich während dieser Töne nicht. Sie sollen sich dicht aneinander anschließen, wenn der Bogen die Saiten wechselt. So spielst du die Töne im **Legato** (= gebunden).

▶ Binde nun über zwei, dann drei und vier Saiten.
Beachte die Notenwerte. Jede Gruppe von gebundenen Noten bekommt gleich viel Zeit und Bogen. Die Töne folgen also umso schneller aufeinander, je mehr Noten über bzw. unter einem Bindebogen stehen.

▶ Beginne die Übungen zuerst mit Abstrich, später auch mit Aufstrich.

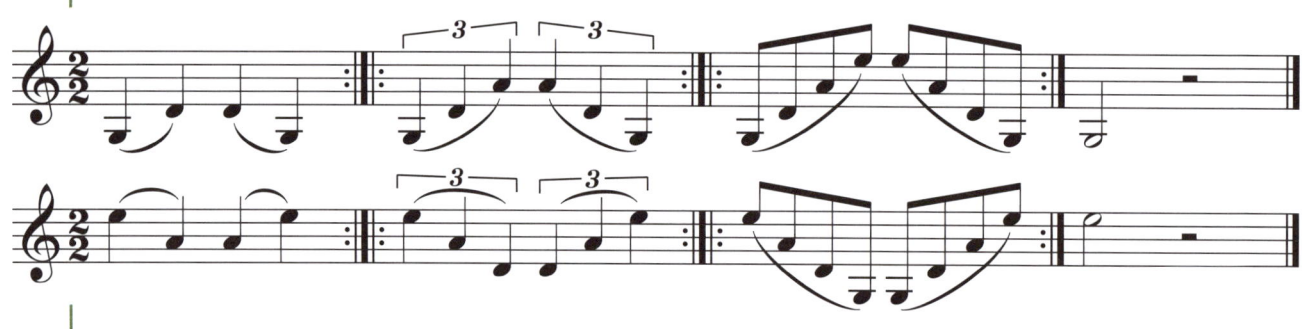

Die Triole

Wenn drei Töne (wie in Takt 2 der oben stehenden Übung) gleichmäßig auf einen Notenwert verteilt werden sollen, schreibt man darüber oder darunter eine Klammer mit der Ziffer 3. Diese Notengruppe heißt **Triole**.

Übungen mit gebundenen Tönen

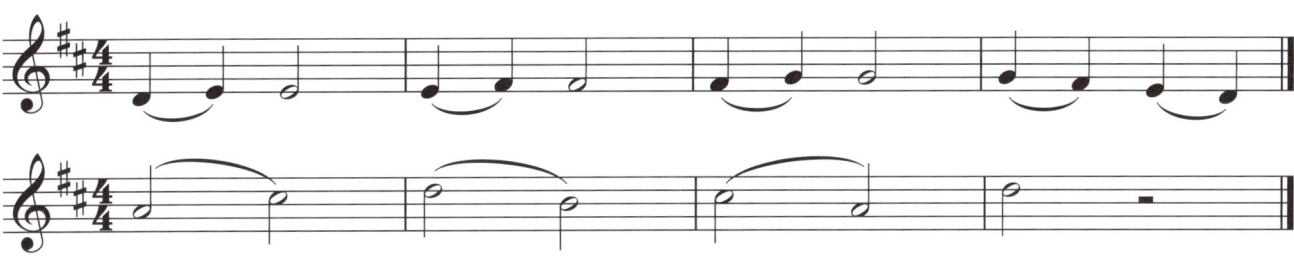

► Binde nun verschiedene Töne auf derselben Saite.

Wiegenlied

Musik: Hugo Schlemüller

Karawanen-Song

Musik: überliefert aus Palästina
Dt. Text: Erich Gruber
© Fidula

Sum ga-li ga-li ga-li, sum ga-li ga - li, sum ga-li ga-li ga-li, sum ga-li ga - li,

1. Durch die

sum ga-li ga-li ga-li, sum ga-li ga - li, sum ga-li ga-li ga-li, sum ga-li ga-li.

Wüs-te zieht Ka-ra-wan', wirft ein Af-fe mit 'ner Ba-nan'. 2. Trifft Ka-

2. Trifft Kamel genau auf die Nas',
   dies geschah bei einer Oas'.

3. Hadschi Halef klettert darauf
   wie der Blitz die Palme hinauf.

4. „Hab ich endlich dich erwischt,
   du gemeines Affenbiest!"

5. Doch der Affe war gar nicht faul,
   stopft Banan' in Hadschis Maul.

6. Worauf dieser schnell wie der Blitz
   in dem Sand auf dem Hinterteil sitzt.

Mixed Connections

So bewegt sich deine Bogenhand bei den Legato-Saitenwechseln:

▶ Zeichne die Bewegungsrichtungen deiner Bogenhand selbst in die Kästchen ein.

Cradle Song

Musik: Stanley Fletcher
© Mit freundlicher Genehmigung des Musikverlages
Boosey & Hawkes Bote & Bock GmbH, Berlin

Sechzehntelnoten

Bisher haben wir Ganze Noten, Halbe Noten, Viertelnoten, Achtelnoten und die entsprechenden Pausen benutzt. Aus dem Mathematikunterricht kennst du die Bruchrechnung und weißt, dass die nächst kleineren Notenwerte die **Sechzehntelnoten** sind. Im *Square Dance* kommen sie vor. Das einzelne Sechzehntel wurde übrigens bei der Punktierung in *I Am Sailing* (S. 51) bereits benutzt.

Sechzehntelnoten,
mit Balken verbunden

einzelne Sechzehntel-
noten und Pausen

punktiertes Achtel
mit Sechzehntelnote
(zwei Schreibweisen)

Square Dance

Musik: Stanley Fletcher
© Mit freundlicher Genehmigung des Musikverlages
Boosey & Hawkes Bote & Bock GmbH, Berlin

Taktwechsel

Die bei uns vorherrschende Musik ist meistens mehrstimmig, dafür rhythmisch und melodisch recht einfach. In anderen Musikkulturen finden sich weitaus kompliziertere Melodien und Rhythmen, dafür aber nicht die komplexe Mehrstimmigkeit wie bei uns.

Beide Stücke auf dieser Seite haben **wechselnde Taktarten**.
Die neue Taktart wird jeweils zu Beginn des Taktes angegeben.

Erinnere dich daran, dass die Note nach dem Taktstrich betont ist. Das sollte auch beim Spielen zu hören sein.

Taktchen, Taktchen, wechsle dich

Musik: überliefert aus Ungarn

Hab mein Wage vollgelade

Text u. Musik:
überliefert aus den Niederlanden

1. Hab mein Wa - ge voll - ge - la - de, voll mit al - ten Weib - sen.

Als wir in die Stadt nein - ka - men, fing'n sie an zu kei - fen.

Drum lad ich all mein Le - be - ta - ge nie al - te Weib - sen auf mein Wa - ge.

Hü, Schim - mel, hü, ja, hü, hü, Schim - mel, hü!

Der Bogen springt

Achte auf einen guten Stand/Sitz und lockere Schultern.
Halte den Bogen mit gutem Bogengriff und beweglichen Fingern.

Lass ihn im mittleren Drittel auf die Saite fallen, sodass er zurückprallt. Probiere dasselbe an anderen Bogenstellen. Wo springt er am höchsten, wo nur wenig oder gar nicht?

Lass den Bogen nun an der Bogenmitte auf die Saite prallen.
Ziehe den Bogen gleich in Abstrichrichtung weiter, nachdem du ihn aufgeworfen hast.
Wie hoch, wie schnell, wie oft springt er?

Aufgeprallt und abgehoben – Spiccato

Vorerst ist die günstigste Bogenstelle für Sprungstricharten nahe dem Bogenschwerpunkt. Platziere die Bogenhand dort (Abb. 1).
Führe mit dem ganzen Arm eine senkrechte Bewegung aus, bei der der Bogen unter der Hand auf die Saite trifft. Achte darauf, dass deine rechte Schulter locker ist. Verkleinere und beschleunige die Bewegung, bis du nur noch ein leichtes, schnelles Klopfen der Bogenhaare auf der Saite erzeugst. Nimm nun eine kleine Streichbewegung dazu, sodass kurze Töne entstehen.

Baue den Bogengriff wie gewohnt am Frosch auf und führe dieselbe Übung aus (Abb. 2).

Altersschwacher Motor

Musik: Ute Adler
© Helbling

Fluch der Karibik: The Medallion Calls

Teil 1

col legno

► Spiele die Takte der Begleitung so lange, bis das Ende dieses Thementeils erreicht ist. An der mit ✱ gekennzeichneten Stelle kann man in den Schlussteil springen (s. u.)

Teil 2

Teil 3

klopfen

Schluss

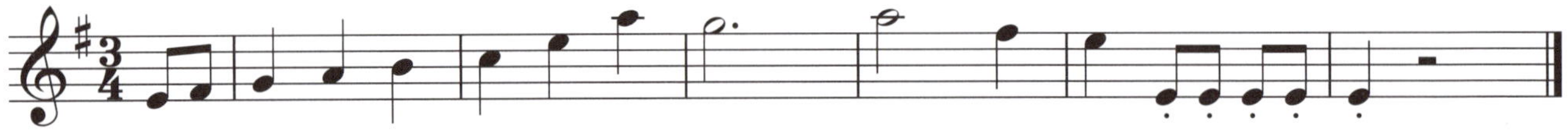

► Übe die vier Teile zuerst einzeln. Später kannst du sie zu einem Stück zusammenfügen.
  Dein Lehrer wird dir dabei helfen, die richtige Reihenfolge der Teile und die Übergänge zu spielen.

Motiv und Umkehrung

Vergleiche die ersten beiden mit den letzten zwei Takten. Solche Veränderungen eines Motivs nennt man auch **Umkehrung**. Vergleiche die Takte 5 und 6 dieser Melodie.

► Erfinde zum notierten Motiv eine Umkehrung und verwende diese in einem der folgenden Takte.

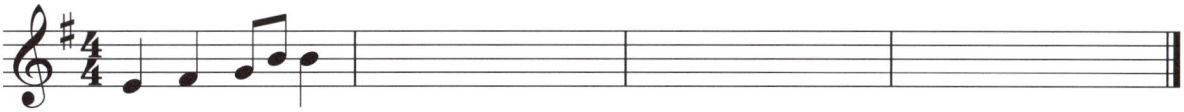

Der Mond ist aufgegangen

Melodie: Johann Abraham P. Schulz
Text: Mathias Claudius
Satz: Hans Georg Mareck
© Helbling

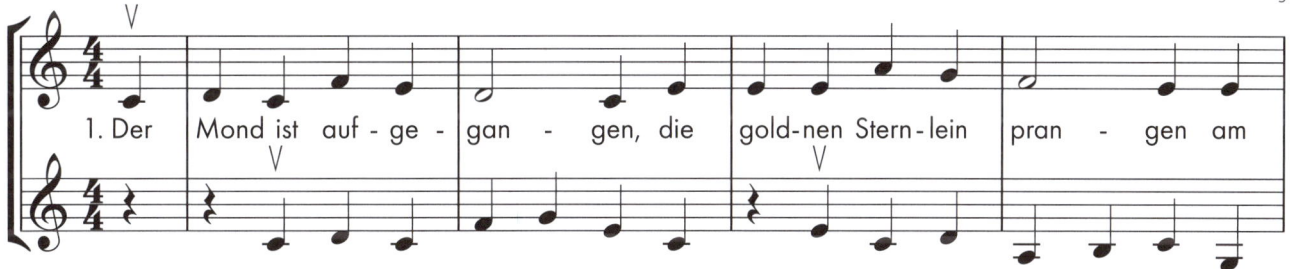

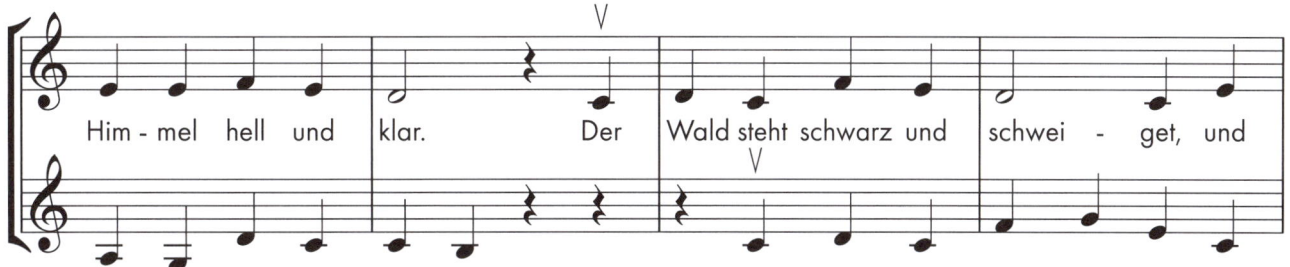

Nicht-mathematische Bogeneinteilung

Beginne am Bogenschwerpunkt zu streichen. Nimm bei *Kommt und lasst uns tanzen, springen* für die Achtelnoten genauso viel Bogen wie für die Viertelnoten, damit die Bogenstelle während des gesamten Stückes dieselbe bleibt. Die Achtel sollen dabei nicht lauter klingen als die Viertel. Im Gegenteil: Die Viertel sollen mehr Betonung erhalten als die Achtel. Entlaste deshalb den Bogen bei jeder Achtelnote, nachdem du sie angespielt hast.

schwer   leicht   schwer   leicht

Kommt und lasst uns tanzen, springen

Musik: aus Frankreich, 12. Jh.
Text: Fritz Jöde
© Möseler Verlag, Wolfenbüttel

Kommt und lasst uns tan-zen, sprin-gen, kommt und lasst uns fröh-lich sein!

Sommerkanon

Musik: aus England, 13. Jh.
Dt. Text: Konrad Ameln (gekürzt)
© Möseler Verlag, Wolfenbüttel

Som-mer ist ins Land ge-kom-men, sin-ge laut Ku-cku!

Saat wird grün und Blu-men blühn, der Wald be-laubt im Nu.

▶ Der *Sommerkanon* wird in raschen Vierteln ausgeführt.
  Übertrage die Bogeneinteilung von *Kommt und lasst uns tanzen, springen*.

Ostinato zu zwei Stimmen

Sing, Ku - ku, nun_____ sing, Ku - ku!

Wehe, Südwind

Musik: überliefert aus Lettland
Dt. Text: Karl Müller Schmied
© Helbling

1. We - he, Süd-wind, mein Ge - sel-le, treib mich schnel-ler an mein Ziel.

Unterschiedliche Stricharten

Détaché: So hast du bisher oft gespielt: Die Strichrichtung wechselt bei jedem Ton. Zwischen den Tönen soll keine Pause entstehen.

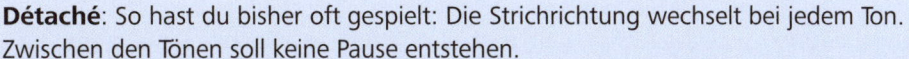

Legato: Werden zwei oder mehr Noten mit einem Bindebogen versehen, dann spielt man sie mit dem Bogen in einer Richtung, ohne anzuhalten. Die Strichrichtung wird also nicht gewechselt. Das Wort stammt aus dem Italienischen und heißt „gebunden".

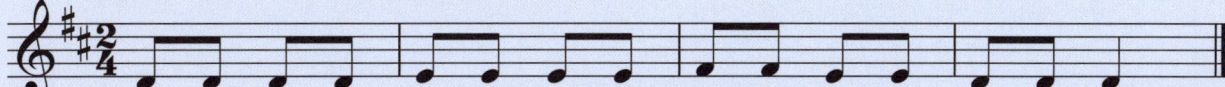

Portato: Wie beim Legato werden die Töne in einer Richtung gespielt. Allerdings wird der Bogen nicht gleichmäßig gezogen wie beim Legato, sondern zwischen den Tönen entlastet und abgebremst. Die Töne sind demnach nicht gebunden, sondern weich voneinander getrennt.

Staccato: Mehrere kurze Töne werden in eine Strichrichtung gespielt.

Spiccato: Der Bogen wird aufgeworfen und prallt zurück.

▶ Spiele das *Puppenballett* (S. 28) zuerst im Martelé, dann im Portato und Staccato.

Largo aus dem Violinkonzert RV 383a

Musik: Antonio Vivaldi
Bearbeitung: Ute Adler
© Helbling

sehr langsam

Schnell spielen!

Beim schnellen Spielen werden alle Bewegungen nicht nur schneller, sondern auch kleiner.
Die Bogenmenge reduziert sich. Die rechte Hand führt das Tempo an, die linke Hand ordnet
sich unter.

Cancan-Thema

Musik: Jacques Offenbach

aus der Operette *Orpheus in der Unterwelt*

Kuckuck und Jägersmann

Text u. Musik: überliefert aus Deutschland
Satz: Hans Georg Mareck
© Helbling

1. Auf ei - nem Baum ein Ku - ckuck, sim - sa - la - dim bam ba sa - la -
du, sa - la - dim, auf ei - nem Baum ein Ku - ckuck saß.

Regen, Tau und Schnee

Musik: Stefan Forssén
Text: Ingrid Oberborbeck
© Stefan Forssén

Re - gen, Tau und Schnee, der fällt vom Him - mel nie - der auf die Welt, wird

Was - ser in Bä - chen, Flüs - sen und Se - en, rie - selt, fließt und strömt da - hin;

lässt die Boo - te schau - keln weit drau - ßen auf dem Meer.

Son - ne kommt und wärmt es, Dampf steigt auf und wird zu Wol - ken, die brin - gen

Happy Birthday

Musik: Mildred J. Hill
Text: Patty Smith Hill

Hap - py birth - day to you, hap - py birth - day to you, hap - py

birth - day, hap - py birth - day, hap - py birth - day to you!

L'inverno è passato

Text u. Musik: überliefert aus Italien
Satz: Karl Müller Schmied
© Helbling

1. L'in - ver - no è pas - sa - to, l'a - pri - le non c'è più, e ri - tor - na - to è mag - gio al

can - to del cu - cù. Cu - cù, cu - cù, l'a - pri - le non c'è piu, e

Cu - cù, cu - cù, l'a - pri - le non c'è piu,

ri - tor - na - to è mag - gio al can - to del cu - cù.

SPECIAL Programmmusik

MODEST MUSSORGSKI (1839–1881)

Bilder einer Ausstellung

Modest Mussorgski gehörte zu einer kleinen Gruppe von fünf russischen Komponisten, die alle ursprünglich anderen Berufen nachgingen, also nicht Musik studiert hatten. Trotzdem besaßen sie einen großen Einfluss auf die russische Musik ihrer Zeit. Man nannte die Gruppe deshalb auch ironisch „Mächtiges Häuflein".

Mit seinem Klavier-Zyklus *Bilder einer Ausstellung* setzte Mussorgski dem Maler Victor Hartmann ein Denkmal, indem er zehn seiner Gemälde vertonte. Nur fünf dieser Gemälde sind heute noch erhalten, zu ihnen gehört *Das große Tor von Kiew*.

Bekannter noch als Mussorgskis Originalfassung für Klavier ist die Bearbeitung für Sinfonieorchester durch den Franzosen Maurice Ravel. In jüngerer Zeit entstanden auch Fassungen für Rockband (von Emerson, Lake & Palmer) und Synthesizer (von Isao Tomita).

Zu Beginn und manchmal zwischen den Bildern erklingt die *Promenade* (Spaziergang). Die darin verwendete Musik variiert je nach Charakter des Bildes, das der Betrachter vor sich hat.

Ilja Repin malte Mussorgski wenige Tage vor dessen Tod

Promenade

Musik: Modest Mussorgski

▶ Präge dir das Thema der *Promenade* gut ein. Hör dir eine Aufnahme an und versuche, das Thema und die Variationen wiederzuerkennen.

Das große Tor von Kiew

Musik: Modest Mussorgski

BEDŘICH SMETANA (1824–1884)

Die Moldau

Im 19. Jahrhundert entdeckten die Komponisten die nationalen Besonderheiten der Musik ihrer Heimatländer für sich, so auch Bedřich Smetana.

Nachdem er sich als Klaviervirtuose und -komponist bereits einen Namen gemacht hatte, schrieb Smetana einen Zyklus mit sinfonischen Dichtungen für Sinfonieorchester, in dem er seine böhmische Heimat musikalisch beschreibt. *Mein Vaterland* ist der Titel des Zyklus, die bekannteste der sechs sinfonischen Dichtungen ist

Die Moldau. In Smetanas Familie wurde übrigens gut deutsch gesprochen. Sein Vorname lässt sich mit Friedrich übersetzen.

In zehn Stationen verfolgt Smetana den Verlauf der Moldau von den Quellen bis zur Mündung in die Elbe. Dabei beschreibt er die Schönheit der Natur, das Leben in den Dörfern und Wäldern und natürlich den Fluss selbst: zuerst ein kleiner Bach, später ein reißender Strom, dann wieder träge dahin fließend und schließlich ein großer, sehr breiter Fluss.

Drei Mal erklingt inmitten des Werkes das berühmte Moldau-Thema, beim dritten Mal deutlich verändert.

Die Moldau: Thema

Musik: Bedřich Smetana

Unsere Fluss-Improvisation

▶ Versucht, mit euren Instrumenten ganz unterschiedliche Erscheinungen eines Flusses darzustellen: Wie klingt es, wenn er seiner Quelle entspringt, wie im Unterschied dazu als kleiner Fluss? Mit welchen musikalischen Mitteln könnten Stromschnellen beschrieben werden, und wie sollte man spielen, wenn die breite Moldau träge dahinfließt?

▶ Erfindet in der Kleingruppe dazu eine Musik. Nutzt auch andere Spieltechniken des Instruments, die ihr euch von eurem Lehrer zeigen lassen könnt.

▶ Spielt euch die Ergebnisse gegenseitig vor und musiziert sie auch gemeinsam.

Musikreise in die USA

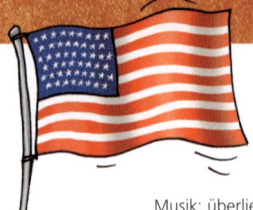

Skip to My Lou

Musik: überliefert aus den USA

Mini-Rag

Musik: Martin Müller Schmied
© Helbling

> Ein **Ragtime** (Musikrichtung, die um 1900 für die Herausbildung des Jazz sehr wichtig wurde) lebt von den Betonungsverschiebungen durch Synkopen, die von der anderen Stimme durch gleichmäßige Viertel begleitet werden.

▶ In diesem Stück kommen zwei unterschiedliche Arten von Synkopen vor. Suche sie.

Polly-Wolly-Doodle

Musik: überliefert aus den USA

She'll Be Comin' Round the Mountain

Musik: überliefert aus den USA

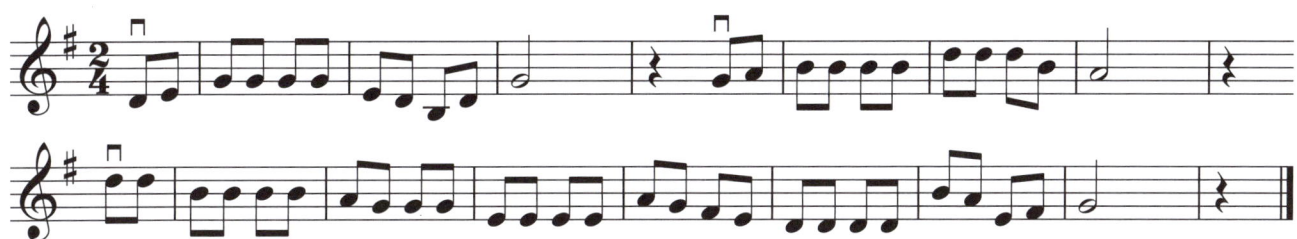

Blues

Musik: Martin Müller Schmied
© Helbling

34

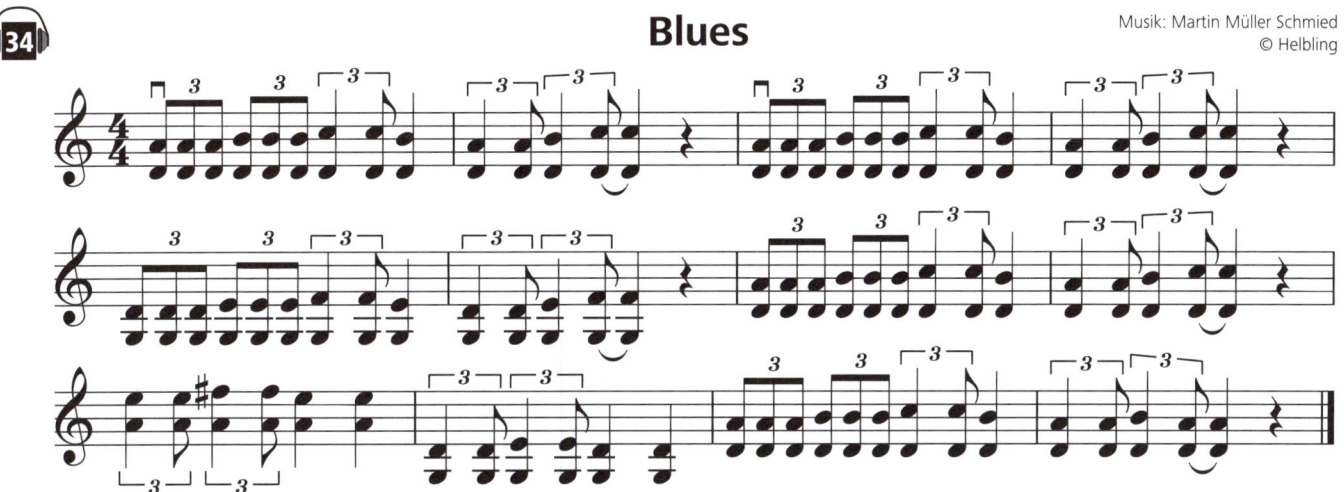

Blues-Triolen

Der Blues ist ein wichtiger amerikanischer Musikstil, der zum Jazz und zur Rockmusik führte.
Eine rhythmische Besonderheit des Blues ist der Swing-Rhythmus mit seinem triolischen „Feeling".
Auch wenn zwei Achtel notiert sind, wird das erste Achtel jeweils doppelt
so lang gespielt wie das zweite. Damit man weiß, dass das Stück mit
Blues-Triolen gespielt werden soll, stehen zu Beginn diese Zeichen:

35

I've Got a Home In-a that Rock

Text u. Musik: überliefert aus den USA

Ungarischer Kanon

Musik: überliefert aus Ungarn

Melodie aus England

Musik: überliefert aus England

Mein Stück im Walzertakt

► Erfinde eine Melodie mit den Tönen der C-Dur-Tonleiter. Benutze den Dreiertakt.

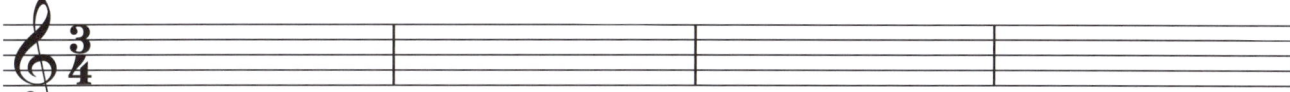

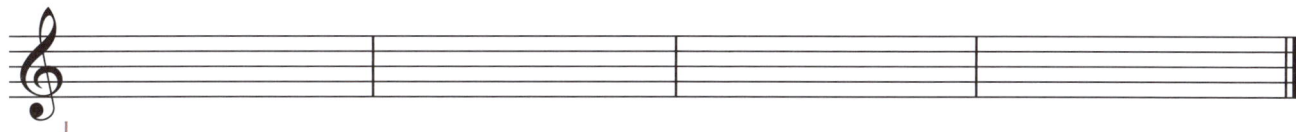

Text u. Musik:
überliefert aus Litauen
Dt. Text: Karl Plenzat
Satz: Hans
Georg Mareck
© Helbling

Zogen einst fünf wilde Schwäne

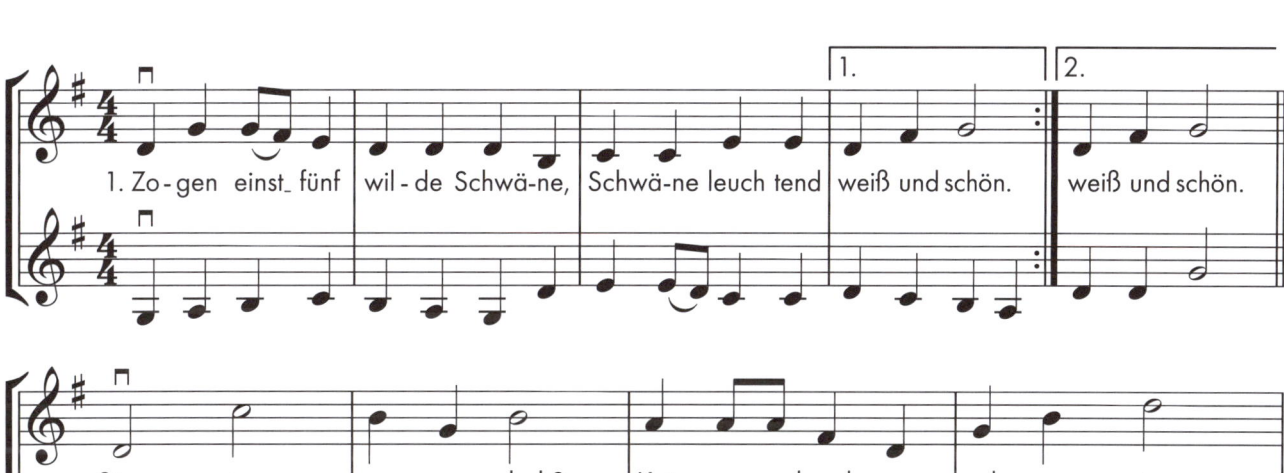

1. Zo-gen einst fünf wil-de Schwä-ne, Schwä-ne leuch tend weiß und schön. weiß und schön.

Sing, sing, was ge-schah? Kei-ner ward mehr ge - sehn,___ ja.

Sing, sing, was ge - schah?

Sing, sing, was ge-schah? Kei-ner ward mehr ge -

Sing, sing, was ge-schah? Kei-ner ward mehr ge - sehn.

Kei-ner ward mehr ge - sehn,___ ja. Sing, sing, was ge- schah?

sehn,___ ja. Sing, sing, was ge - schah? Was ge- schah?

Besondere Vortragsangaben

espressivo	besonders ausdrucksvoll spielen
dolce	weich, zart spielen
𝄐	Fermate über dem Taktstrich: Beim Übergang zum nächsten Takt gibt es eine kurze Verzögerung.

37

Sweet Melody

Musik: Stanley Fletcher
© Mit freundlicher Genehmigung des Musikverlages
Boosey & Hawkes Bote & Bock GmbH, Berlin

Besondere Spieltechniken

Hier spielst du **Tremolo**. Es bedeutet: zittern, beben. Streiche so schnell du kannst hin und her. Am besten klappt das im oberen Bogendrittel. Achte auf diese drei Dinge: Auf dem Bogen muss ausreichend Gewicht sein. Die Schulter muss locker sein. Der Arm wird geschüttelt.

Die abfallende Wellenlinie ist das Zeichen für ein fallendes **Glissando**. Dabei greifst du den notierten Ton und bewegst den Finger während des Streichens in gleichmäßigem Tempo in Richtung Sattel. Es entsteht ein gleitender Klang, der Ton wird immer tiefer.

Ein Glissando kann auch durch dieses Zeichen vorgegeben werden. In diesem Fall handelt es sich um ein steigendes Glissando, der Ton wird also höher.

Bei einem **Pralltriller** wechselst du sehr schnell vom Ausgangston zum nächsthöheren Ton und zurück und hältst den erreichten Ton länger aus: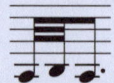

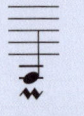

sul ponticello

Streiche den Bogen ganz dicht am Steg. Es entsteht ein sehr scharfer Klang. Die Bezeichnung **ordinario** hebt die vorausgehende Spielanweisung auf. Das bedeutet, dass du von hier ab wieder an der üblichen Kontaktstelle spielst.

slap

Wenn du mit den Fingern der linken Hand, die das Instrument in Spielhaltung hält, hörbar auf dessen Decke schlägst, kannst du den Klang einer Snare Drum imitieren.

Modern Strings

Musik: Ute Adler
© Helbling

Klopfen auf der Decke *Streichen hinter dem Steg*

slap

sul ponticello

mf

ordinario

D-Saite   A-Saite

gliss.

f   *ff*

Funky

Musik: Martin Müller Schmied
© Helbling

A *(kurzes Glissando auf der E-Saite)*

B

C

(möglichst hoher Ton auf der E-Saite)

Eine Minute vor Mitternacht

Text u. Musik: Ute Adler
© Helbling

Klingende Fantasiereise

1 „Gute Nacht" – die Tür deines Zimmers wird vorsichtig geschlossen.
Heute ist es spät geworden. Irgendwo im Haus ist noch leise Musik zu hören.
Du schließt die Augen und lauschst in die Dunkelheit.

pizz. mit dem 4. Finger der linken Hand (Harfenpizzicato)

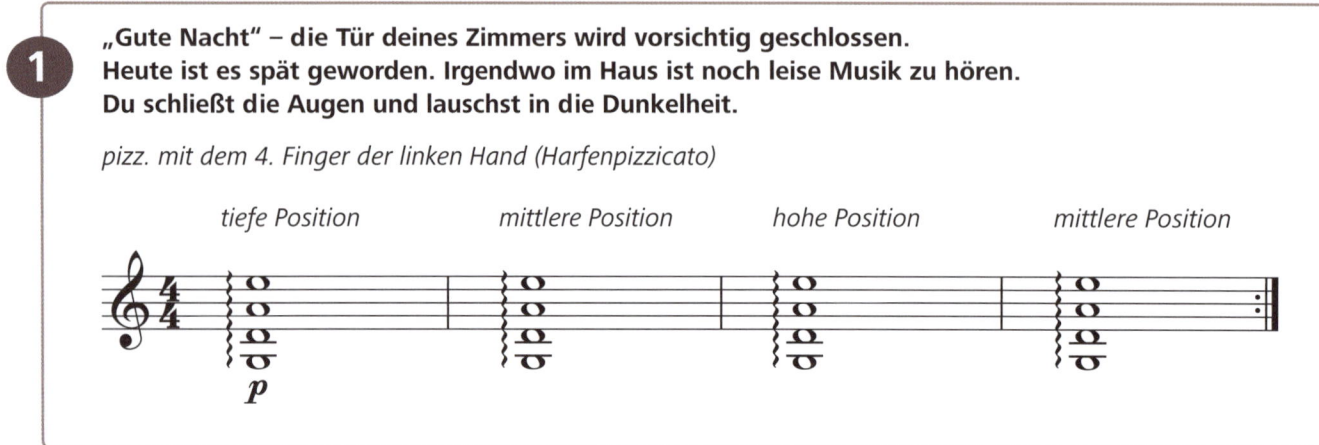

2 **Dicke Tropfen fallen von den Bäumen. Oder ist da jemand im Garten unterwegs?**

Armschwung (aus der tiefen Position) erst nach links, dann nach rechts, Hand in Richtung Griffbrettende | *Finger klopfen links neben Griffbrett* | *Arm führt die Hand in die tiefe Position zurück* | *Armschwung (aus der tiefen Position) erst nach links, dann nach rechts, Hand in Richtung Griffbrettende* | *Finger klopfen links neben Griffbrett* | *Arm führt die Hand in die tiefe Position zurück*

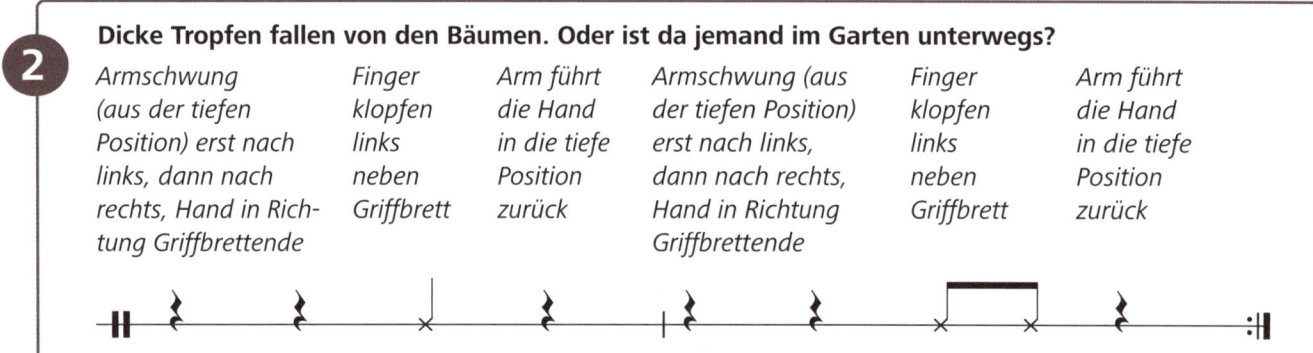

3 **Das klingt ja, als ob sich da jemand im Dunkeln durchs Gebüsch schiebt und sich dem Haus nähert…**

(Hier spielen nur Violoncello und Kontrabass)

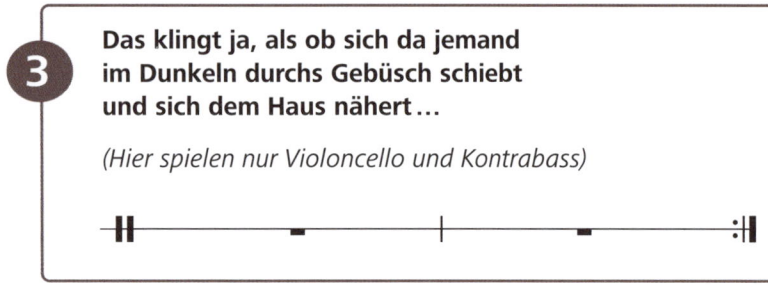

4 **Jetzt sind nur noch leise Schritte zu hören.**
Ausführung wie in ② beschrieben

5 **Aber da bewegt sich schon wieder etwas. Nein – bitte keine Gespenster!**

arco
Flageolett-Glissando, freies Tempo, freie Tonhöhen

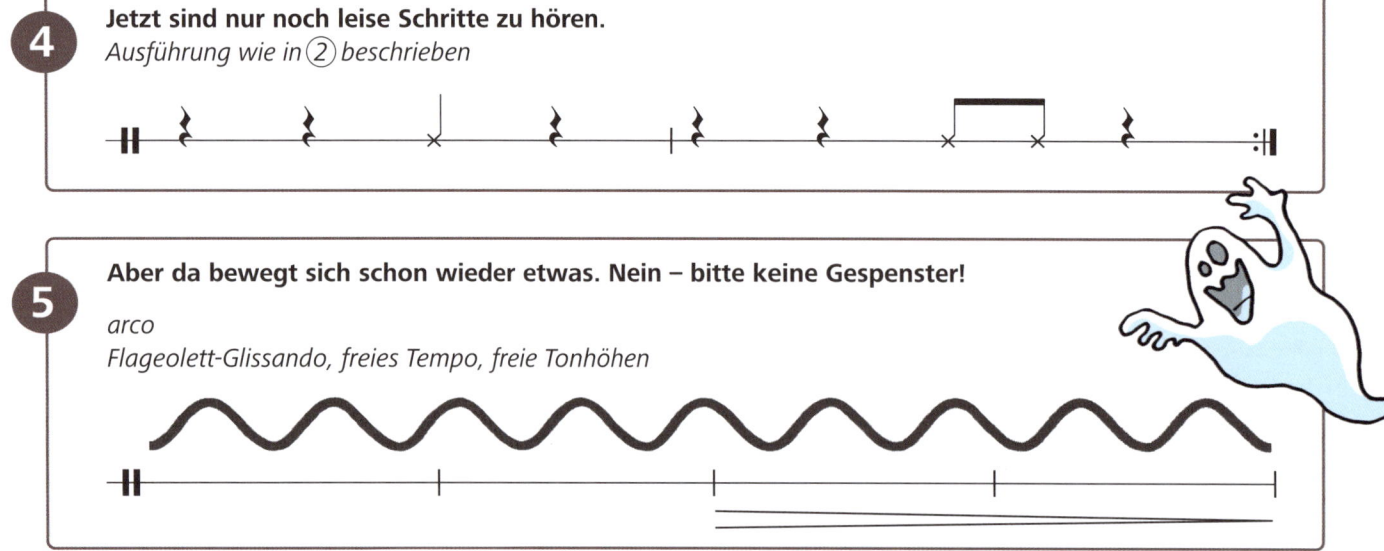

6 **Die Geräusche werden stärker. Schließlich gibt es einen heftigen Schlag.**

arco, tremolo
frei gewählter Flageolett-Ton auf der E-Saite, z. B.

7 **Alles nur ein Traum gewesen? Unwetter? Irgendwo in der Ferne beginnt eine Sirene zu heulen.**

Auf dem Zielton darf die Strichrichtung frei gewechselt werden.

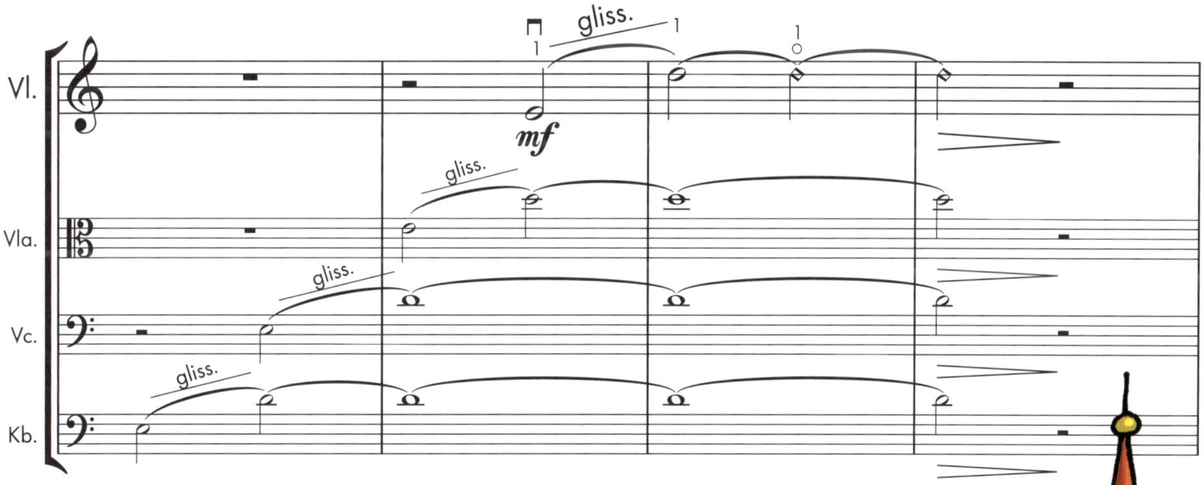

8 **Zwölf Glockenschläge holen dich in die Realität zurück. Mitternacht!**

pizz. der linken Hand, alle Finger, hohe Position

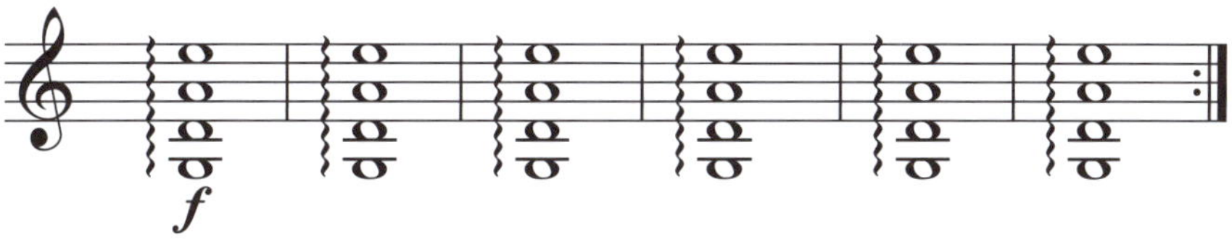

Neue Griffstellungen

Süß und sauer

Musik: überliefert aus den USA

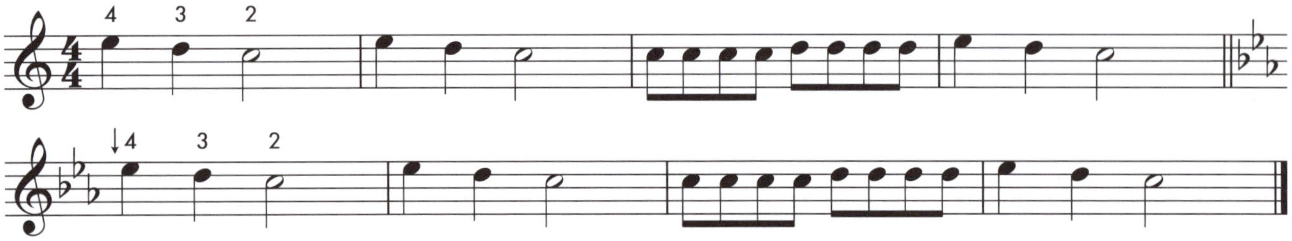

Spiele *Süß und sauer* in neuen Tonarten. Beginne jeweils mit dem 4. Finger auf der A-Saite (Abb. 1).

Beachte die ♭-Vorzeichen in Zeile 2. Der Ton ***es*** wird mit tiefem 4. Finger gespielt. Setze den 4. Finger also dicht neben dem 3. Finger auf (Abb. 2).

1

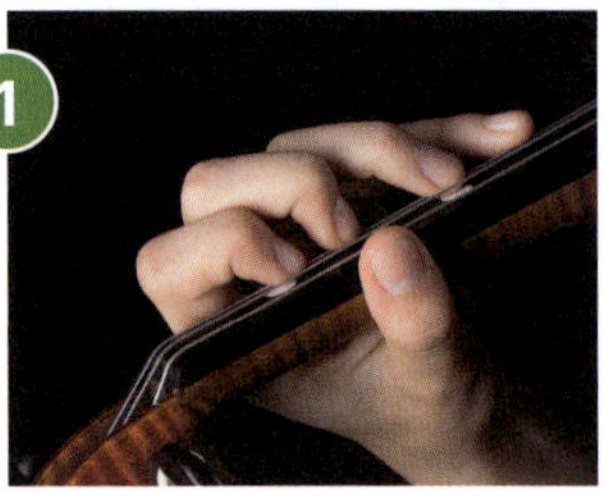

2

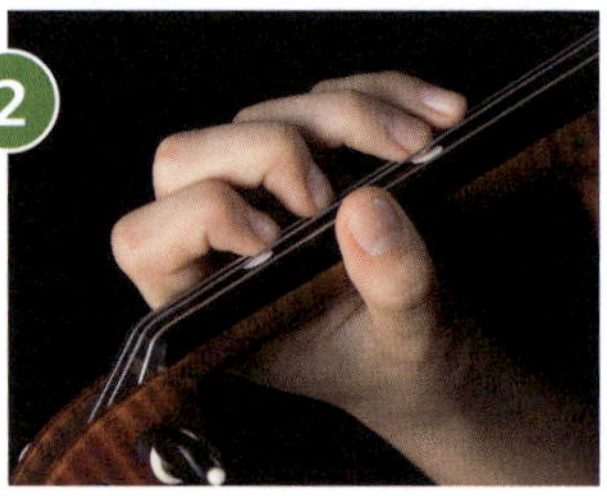

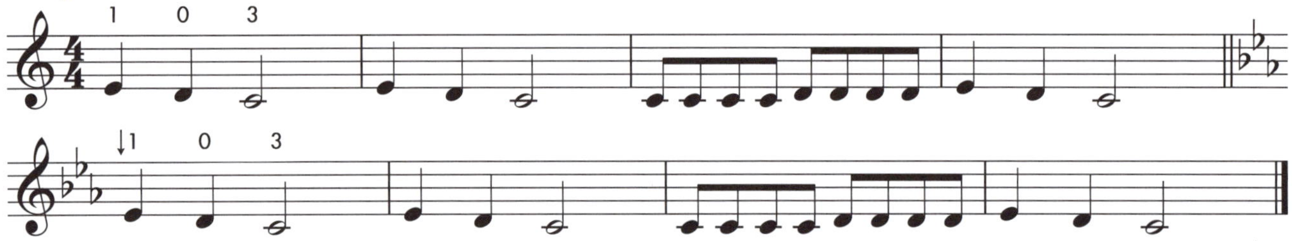

Beginne nun mit dem 1. Finger auf der D-Saite (Abb. 3). In der Moll-Variante (Zeile 2) wird eine neue Griffstellung benötigt. Der 1. Finger wird tief aufgesetzt (zwischen Sattel und erstem Punkt, Abb. 4).

3

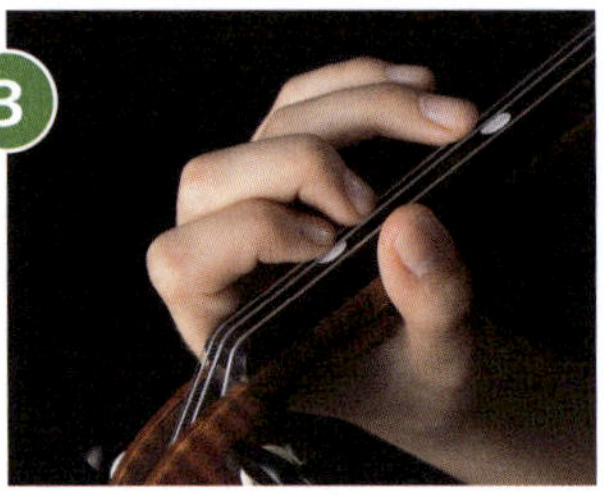

4

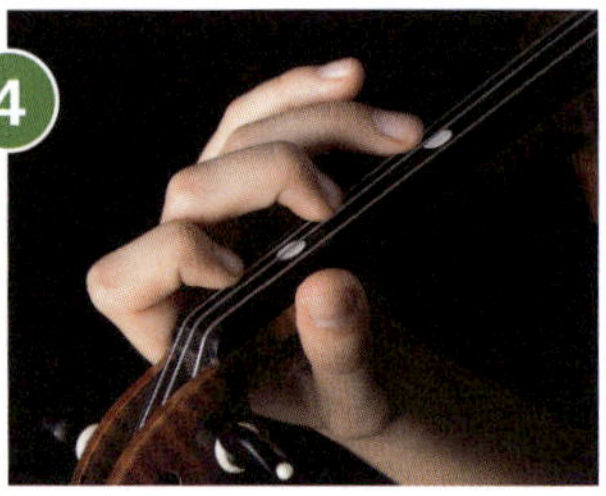

Lagenwechsel

Bisher hast du immer in der 1. Lage gespielt. Dafür galten die ersten beiden Punkte auf dem Griffbrett (Abb. 5). Durch das Verschieben der Hand (**Lagenwechsel**) erreicht man andere Lagen, z.B. die 2., die 3. oder auch die halbe Lage.
Mit Hilfe der Lagenwechsel wird der Tonumfang erweitert. Oft erleichtert sich dadurch auch das Spielen bestimmter Stücke.

5

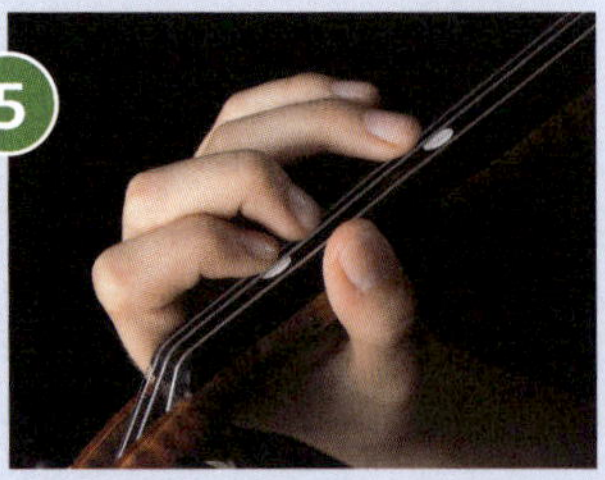

1. Lage

6

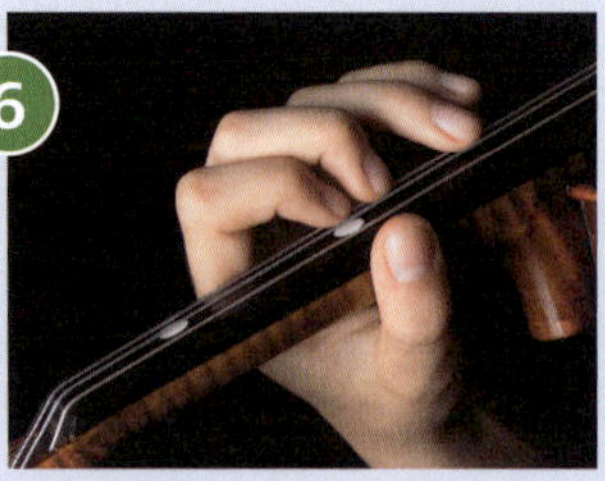

3. Lage

► Spiele *Sweet Eyed Sue* (S. 27) in der 3. Lage. Beginne also nicht mit dem 3. Finger, sondern setze den 1. Finger auf dem zweiten Punkt auf, der bisher für den 3. Finger bestimmt war (Abb. 6).

Mr. Patrick's Rock

Musik: Martin Müller Schmied
© Helbling

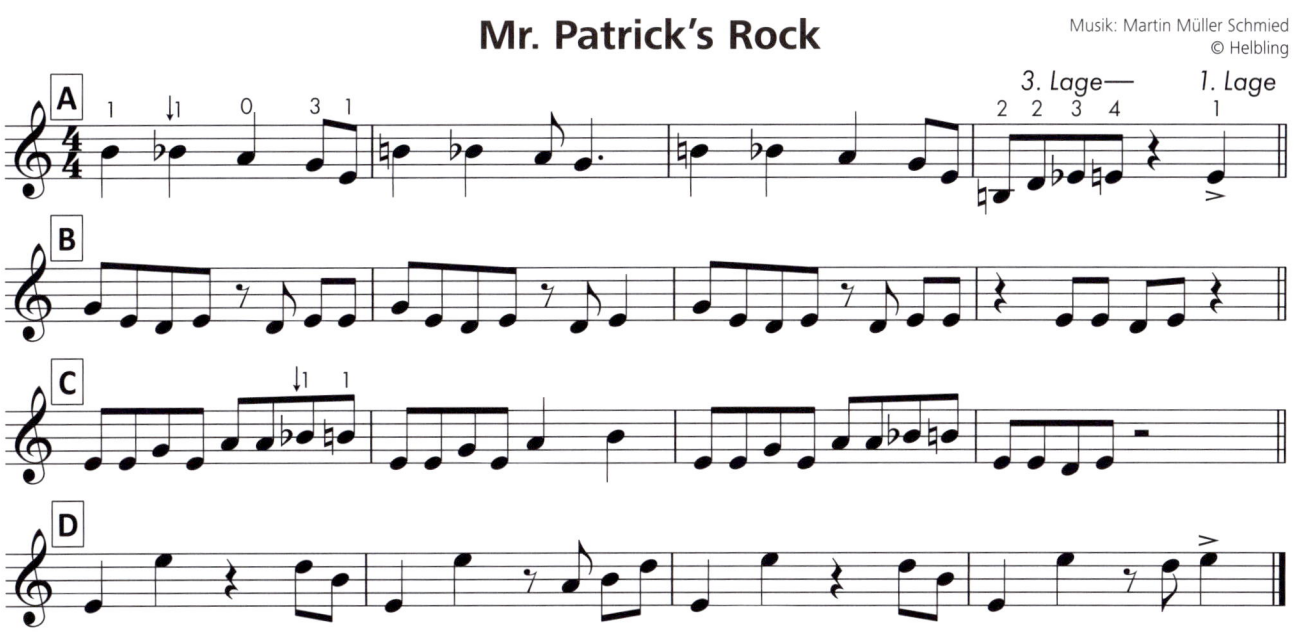

In den Teilen A und C brauchst du für die Töne *b* und *es* den tief aufgesetzten 1. Finger wie in Abb. 4 (S. 78). Verschiebe den Finger, um von *h* zu *b*, von *b* zu *h* oder von *es* zu *e* zu wechseln. Achte auf saubere Töne, wenn du danach andere Finger aufsetzt.

Versetzt! Auf eine andere Saite!

► Erfinde mit den vier Tönen auf der D-Saite eine Melodie und versetze sie danach auf die A-Saite.

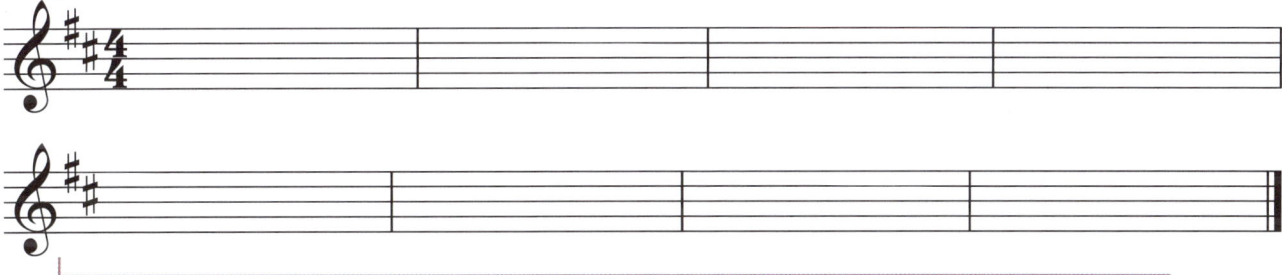

Lord of the Dance

Music: Shaker Melody, adapted by Sydney Carter (1915-2004)
© 1963 Stainer & Bell Ltd, 23 Gruneisen Road,
London N3 1LS, www.stainer.co.uk. Used by permission

Möglicher Ablauf des Stücks: A B A B B .
Zum Ende hin kann immer schneller gespielt werden.

SPECIAL Thema mit Variationen

Variationen haben in diesem Heft schon mehrfach eine Rolle gespielt: *Bruder Jakob* wird mit Variationen, die nur aus einem Takt bestehen, begleitet (S. 18). Bei *Hoe Down* (S. 19) umfassen die Variationen eine ganze Zeile. Gemeinsam ist diesen Variationen, dass das Original zwar verändert wird, aber immer gut erkennbar bleibt.

JOSEPH HAYDN (1732–1809)

Sinfonie mit dem Paukenschlag

Die Sinfonie Nr. 94 (auch *Sinfonie mit dem Paukenschlag* oder *The Surprise* genannt) gehört zu den zwölf *Londoner Sinfonien*, welche Haydn in den Jahren 1791 bis 1795 für Konzerte in der Stadt an der Themse komponierte. Der 2. Satz beginnt mit der Vorstellung eines schlichten Themas, das von dem niederösterreichischen Volkslied *Geh im Gassle rauf und nunter* stammt. Anschließend variiert Haydn dieses Thema.

► Hört euch das Thema und die Variationen an.

► Musiziert das Thema und die hier abgedruckten Variationen (die zur besseren Spielbarkeit abgewandelt wurden).

Thema aus der Sinfonie mit dem Paukenschlag

Musik:
Joseph Haydn
Bearbeitung:
Martin Müller Schmied
© Helbling

Variation 1

▶ Zu den Variationen kann immer die Begleitstimme (siehe Thema) gespielt werden.
Die kleingedruckte Stimme in Variation 1 spielt euer Lehrer.

Variation 2

Es folgt Teil B des Themas.

▶ Beschreibe diese Variation.

Variation 3

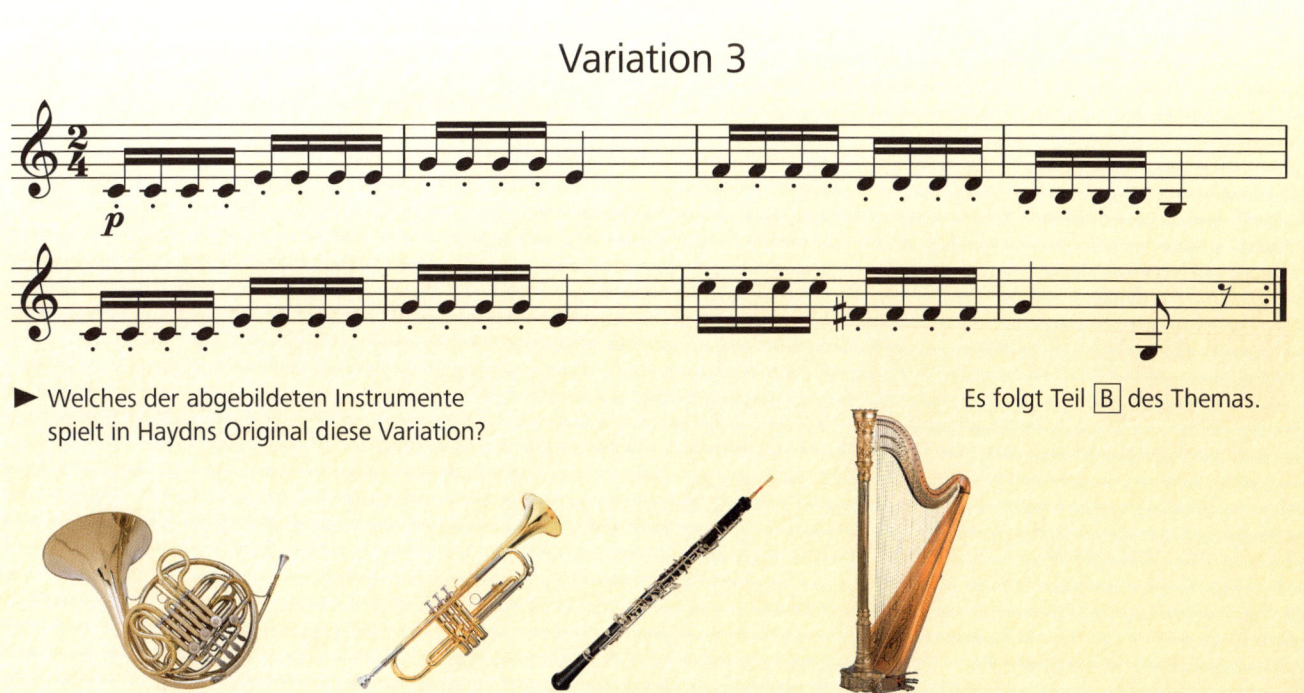

Es folgt Teil B des Themas.

▶ Welches der abgebildeten Instrumente
spielt in Haydns Original diese Variation?

LEVEL 1

bestanden:

Ich kann
- ☐ mein Instrument zum Spielen vorbereiten (auspacken, Bogen im richtigen Maß spannen, bei Bedarf Kolofonium benutzen, die Schulterstütze anbringen),
- ☐ die Teile meines Instruments und des Bogens korrekt bezeichnen,
- ☐ die leeren Saiten meines Instruments in der richtigen Reihenfolge benennen,
- ☐ Instrumentenhaltung und Bogengriff richtig aufbauen und den Haltungsaufbau anderen erklären,
- ☐ das Pizzicato ausführen,
- ☐ auf jeder Saite im mittleren Bogendrittel gerade und klangvoll streichen,
- ☐ Viertelnote und Viertelpause lesen und spielen,
- ☐ aus den Noten die Taktart eines Stückes erkennen.

Stücke:

LEVEL 2

bestanden:

Ich kann
- ☐ den Bogen an drei verschiedenen Bogenstellen so aufsetzen, dass Bogen und Saite einen rechten Winkel bilden,
- ☐ in zwei Bogendritteln gerade streichen,
- ☐ Viertel, Achtel und Halbe mit der entsprechenden Bogenmenge streichen,
- ☐ das Harfenpizzicato in der tiefen, mittleren und hohen Position ausführen,
- ☐ das Fliegende Pizzicato und den Zurückgeholten Strich ausführen,
- ☐ an den Zeichen über den Noten Abstrich oder Aufstrich erkennen,
- ☐ die Notenwerte Ganze, Halbe, Viertel und Achtel sowie Pausen erkennen,
- ☐ den Auftakt erklären und im Notenbild erkennen,
- ☐ einen Rhythmus auf einer Saite erfinden und notieren.

Stücke:

LEVEL 3

bestanden:

Ich kann
- ☐ auf jeder Saite streichen, ohne ungewollt eine Nachbarsaite mitklingen zu lassen,
- ☐ Saitenwechsel zwischen zwei benachbarten Saiten ausführen,
- ☐ meine Stimme in einer Partitur erkennen, Noten im System lesen und spielen,
- ☐ eine Synkope beschreiben und spielen,
- ☐ den ganzen Bogen benutzen,
- ☐ bei Rhythmen mit Ganzen, Halben, Vierteln und Achteln den Bogen richtig einteilen,
- ☐ im Forte, Mezzoforte und Piano spielen,
- ☐ jedem der vier Streichinstrumente den richtigen Notenschlüssel zuordnen, die leeren Saiten bezeichnen und die Stimmung in Quinten und Quarten erklären,
- ☐ auf allen vier leeren Saiten Musik erfinden, auch ein Stück für die Streicherklasse.

Stücke:

LEVEL 4

bestanden:

Ich kann
- ☐ die linke Hand mit guter Hand- und Armhaltung aufbauen,
- ☐ gegriffene Töne mit gutem Klang zupfen und streichen,
- ☐ Melodien mit leeren Saiten und Oktavtönen auf der benachbarten Saite erfinden,
- ☐ Oktavflageolett-Töne zu allen leeren Saiten spielen,
- ☐ aus dem Notenbild erkennen, wann ein Ton als Flageolett gespielt werden soll,
- ☐ zu den drei tiefen leeren Saiten meines Instrumentes eine Oktave spielen und die Töne im Notensystem wiedererkennen,
- ☐ die Fingersätze für Melodien mit dem Grundton *d* (leere D-Saite) aus dem Notenbild erkennen.

Stücke:

LEVEL 5

bestanden:

Ich kann
- [ ] crescendo und decrescendo spielen,
- [ ] die Strichart Collé ausführen,
- [ ] die Töne der Stammtonreihe in der richtigen Reihenfolge nennen,
- [ ] die Begriffe Ganztonschritt (große Sekunde), Halbtonschritt (kleine Sekunde), große Terz und kleine Terz erklären,
- [ ] erklären, wie Töne durch Vorzeichen/Versetzungszeichen verändert werden können,
- [ ] die linke Hand sauber aufbauen und in der 1. und 2. Griffstellung spielen,
- [ ] Dur und Moll nach Gehör unterscheiden,
- [ ] Viertonmelodien in Dur und Moll, deren Grundton eine leere Saite ist, in den entsprechenden Griffstellungen sauber spielen,
- [ ] Viertonmelodien auf einer Saite erfinden und dabei rhythmische Vorgaben beachten.

Stücke:

LEVEL 6

bestanden:

Ich kann
- [ ] die Strichart Martelé im Ab- und Aufstrich mit einem klaren Ansatz ausführen,
- [ ] gleichzeitig auf zwei Saiten streichen,
- [ ] die Tonleiter und Melodien in D-Dur spielen,
- [ ] Melodien spielen, deren Tonumfang sich über mehrere Saiten erstreckt,
- [ ] Saitenwechsel zwischen benachbarten Saiten rhythmisch genau ausführen (Vorbereitung durch den rechten Arm),
- [ ] nach dem Saitenwechsel jede Saite so anstreichen, dass sie gleich anspricht (richtiges Verhältnis von Armgewicht und Bogenmenge),
- [ ] aus vorgegebenen Bausteinen ein Stück für die Streicherklasse zusammenstellen.

Stücke:

LEVEL 7

bestanden:

Ich kann
- [ ] statt der leeren Saite den 4. Finger benutzen,
- [ ] aus den Noten erkennen, welche Griffstellung benutzt werden muss,
- [ ] Tonleitern und Melodien in C-Dur und G-Dur spielen,
- [ ] mit deutlich hörbaren Lautstärkeunterschieden (Dynamik) spielen,
- [ ] während einer Kette von gleich langen und gleich starken Tönen die Bogenstelle verändern (Wandern),
- [ ] Musikstücke unterschiedlichen Charakters mit meinem Instrument gestalten,
- [ ] beim Erfinden von Musik kleine musikalische Einheiten (melodische Impulse und Motive) verwenden und verändern,
- [ ] Melodien mit Motiv und Motiv-Veränderung erfinden.

Stücke:

LEVEL 8

bestanden:

Ich kann
- [ ] zwei Striche in eine Richtung ausführen und aus den Noten erkennen, welche Töne in dieselbe Richtung gestrichen werden sollen,
- [ ] einen Kanon gemeinsam musizieren,
- [ ] Tonleitern und Stücke in d-Moll, a-Moll und e-Moll spielen,
- [ ] eine Melodie aus Flageolett-Tönen mit gutem Klang spielen,
- [ ] punktierte Rhythmen ausführen,
- [ ] ein Rondo aus vorgegebenen oder erfundenen Themen selbst gestalten.

Stücke:

LEVEL 9

bestanden:

Ich kann
- ☐ die Strichart Legato erklären und Töne über 2, 3 und 4 Saiten ohne Unterbrechung der Bewegung auf einen Bogen spielen,
- ☐ mehrere Töne auf einer Saite im Legato spielen,
- ☐ schnelle Striche spielen,
- ☐ Sechzehntelnoten lesen und spielen,
- ☐ Melodien mit wechselnden Taktarten musizieren,
- ☐ die Strichart Spiccato beschreiben und ausführen.

Stücke:

LEVEL 10

bestanden:

Ich kann
- ☐ in Tonarten sauber spielen, die Wechsel in der Griffstellung erfordern,
- ☐ meine Intonation (sauberer Klang der Töne) während des Spiels selbstständig korrigieren,
- ☐ zu einem vorgegebenen Motiv eine Umkehrung bilden und diese in eine selbst erfundene Melodie einbauen,
- ☐ Melodien, die wechselnde Strichgeschwindigkeit (nicht-mathematische Bogeneinteilung) erfordern, mit gutem Klang spielen,
- ☐ die Stricharten Détaché, Portato und Staccato erläutern und anwenden.

Stücke:

LEVEL 11

bestanden:

Ich kann
- ☐ schnelle Stücke klar verständlich spielen, indem rechte und linke Hand gut zusammenwirken,
- ☐ Stücke mit häufig wechselnder Griffstellung sauber spielen,
- ☐ die Wirkungsweise von Programmmusik verstehen und Auszüge berühmter Werke musizieren,
- ☐ Elemente der Programmmusik selbst improvisieren,
- ☐ Blues- und Ragtime-Rhythmen ausführen,
- ☐ in vorgegebener Ton- und Taktart eine Melodie erfinden.

Stücke:

LEVEL 12

bestanden:

Ich kann
- ☐ diese Spieltechniken anwenden: Glissando, Pralltriller, Tremolo,
- ☐ freie Lagenwechsel ausführen,
- ☐ in der 3. Lage, mit tiefem 1. Finger und mit tiefem 4. Finger spielen,
- ☐ in vorgegebenem Tonraum eine Melodie erfinden und diese auf eine andere Saite versetzen,
- ☐ Variationen eines Themas erkennen und musizieren.

Stücke:

Die Haltung des Instruments

So ist die Haltung korrekt:

Haltung des Instruments: Halte das Instrument so, dass es von deiner Schulter aus nach links vorn zeigt. Oberarm und Ellenbogen haben etwas Abstand zum Körper. Lege dein Kinn nur leicht auf den Kinnhalter.

Körperhaltung: Du sitzt oder stehst aufrecht und locker. Beide Arme sind frei beweglich.

Schulterstütze: Sie ist dann korrekt angebracht und hat die richtige Höhe, wenn du beim Auflegen des Kinns auf den Kinnhalter Kopf und Nacken natürlich halten kannst. Das Instrument soll nicht am Schlüsselbein oder am Hals drücken.

Ist deine Haltung okay? Oder hast du dir einen dieser Fehler angewöhnt?

Haltung des Instruments
zu tief

Haltung des Instruments
zu hoch

Haltung des Instruments
zu weit vorn

Körperhaltung
Spieler lehnt sich an, Arme sind aufgestützt

Körperhaltung, Haltung des Instruments
Beine übereinandergeschlagen, Arm und Instrument zu tief

Bogengriff und Bogenführung

So ist die Haltung korrekt:

Bogengriff: Alle Finger – auch der Daumen – sind etwas gekrümmt. Lege den Zeigefinger an der Seite des mittleren Fingergliedes kurz vor dem mittleren Fingergelenk an die Bogenstange. Die Kuppe des kleinen Fingers steht auf der Bogenstange.

Streichen im unteren Drittel: Halte das Handgelenk etwas gewölbt und winkle es nach rechts ab. Den Ellenbogen hältst du ein wenig tiefer als das Handgelenk. Neige die Hand etwas zum Zeigefinger hin. Deine Schulter ist entspannt.

Streichen zur Spitze: Das Handgelenk senkt sich, an der Spitze hat es eine leichte Beugung nach unten. Neige die Hand dabei stärker zum Zeigefinger hin. Strecke den Arm.

Bogenführung: An allen Bogenstellen bilden Saite und Bogenstange einen rechten Winkel. Die Kontaktstelle (die Stelle an der Saite, an der der Bogen aufliegt) befindet sich immer zwischen Griffbrettende und Steg.

Ist deine Haltung okay? Oder hast du dir einen dieser Fehler angewöhnt?

Bogengriff
Daumen durchgedrückt

Bogengriff
Kleiner Finger gestreckt, Zeigefinger gestreckt und falsch platziert

Streichen im unteren Drittel
Bogenstange nicht im rechten Winkel zur Saite, Handgelenk zu tief und nicht abgewinkelt, Strich schief

Streichen zur Spitze
Arm nicht gestreckt, Ellenbogen zu tief und zu weit hinten, Strich schief

Bogenführung
Ellenbogen zu hoch, Schulter hochgezogen, Handgelenk eingeknickt

Linke Hand und linker Arm

So ist die Haltung korrekt:

Armhaltung: Dein Arm soll in alle Richtungen frei beweglich sein. Halte den Ellenbogen so, dass alle Finger über der Saite stehen. Hand und Unterarm bilden in etwa eine Linie. Beim Greifen auf den tiefen Saiten bewegt sich der Ellenbogen etwas nach rechts.

Fingerstellung: Setze alle Finger rund auf. Der 1. und der 3. Finger stehen auf der Höhe der Griffbrettpunkte auf der Saite, der 2. Finger wird in der ersten Griffstellung dicht neben dem 3. Finger platziert. Der Daumen ist leicht gebeugt und liegt etwa gegenüber dem 1. Finger.

Belasten der Saite: Damit die Töne ansprechen, drückst du die Saite bis aufs Griffbrett herunter. Die Finger und der Daumen bleiben dabei rund und üben nur geringen Druck aus.

Ist deine Haltung okay? Oder hast du dir einen dieser Fehler angewöhnt?

„Bratpfannenhand":
Handgelenk eingeknickt, Finger stehen nicht gut auf der Saite

Fingerstellung
Daumen durchgedrückt

Fingerstellung
2. und 3. Finger von der Saite abgehoben

Armhaltung
Ellenbogen nach hinten gezogen

Fingerstellung
Finger nicht über der Saite

VERZEICHNIS DER SPIELSTÜCKE UND ÜBUNGEN